DE WETTEN VAN

DRAKENEILAND

EERSTE WET
Doe voor anderen wat je zelf ook leuk zou
vinden.

TWEEDE WET
Doe een ander niks aan wat je zelf ook
niet zou willen.

DERDE WET
Iedereen houdt zich aan de beslissingen
van de Parlevinkers. Eens per maand
worden er nieuwe Parlevinkers gekozen:
na Bombinie (21 mei) na Toedeledokie
(21 juni) en na Astalabiesta (21 juli).

VIERDE WET
De Schout (gekozen voor de hele zomer)
spreekt recht zonder dat de Parlevinkers
zich ermee bemoeien. De hoogste straf is
verbanning.

VIJFDE WET
Een vergrijp wordt uitgewist als de dader
de gevolgen ongedaan maakt. Dus als je
goedmaakt wat je hebt misdaan, kun je er
geen straf meer voor krijgen.

ZESDE WET

Als iemand jou iets aandoet dat in strijd is met de Tweede Wet, mag je een klacht indienen bij de Parlevinkers of de Schout. Klachten worden in een hoorzitting behandeld en iedereen kan getuigen.

ZEVENDE WET

In de liefde is alles geoorloofd.

ACHTSTE WET

Je mag niet liegen. Niet over wat je in het verleden hebt gedaan, en ook niet over wat je nog zult doen. Dus wat je beloofd hebt, moet je nakomen, ook als het in strijd is met andere wetten.

NEGENDE WET

Als iemand om hulp vraagt, moet je hem helpen, tenzij hij iets in de zin heeft wat ingaat tegen de Tweede of de Derde Wet.

TIENDE WET

Als iemand in gevaar is, moet je hem redden, ook al breek je daarmee andere wetten.

Strijd om Drakeneiland

Jeugdboeken van Lydia Rood

VOORLEZEN
Roosmarijn doet het zelf wel

8 – 10
Overleven op Drakeneiland
Strijd om Drakeneiland
Smokkelkind

10+
Marietje Appelgat en haar vieze vrienden
'Zoenen is vies,' zei Darma Appelgat

11+
Brief uit Hollanda (met Mohamed Sahli)
Zoon van de souk (met Mohamed Sahli)
Dans om het Zwarte Goud
De ogen van de condor
De vijf geheimen van Marike

12+
Sammy of Samir?
Sabahs ware gezicht

13+
Sprong in de leegte

Lydia Rood

Strijd om
DRAKENEILAND

Met illustraties van Kees de Boer

Leopold / Amsterdam

www.lydiarood.nl

Eerste druk 2007
© 2007 tekst: Lydia Rood
Omslag en illustraties: Kees de Boer ·
Omslagontwerp: Petra Gerritsen
Uitgeverij Leopold, Amsterdam / www.leopold.nl
ISBN 978 90 258 5125 5 / NUR 283

Inhoud

De stem van de klok

Mo klopte met een steen op een vermolmde tak terwijl hij toekeek hoe de speedboot aanlegde in de haven. Hij zat in de heuvels tussen het dorp en de kust, min of meer verscholen achter een struik met zilveren blaadjes. Beneden stond een groep kinderen op de steiger, met tassen en rugzakken. Zij zouden terug naar huis gaan. Een paar kinderen met heimwee waren erbij: Jesse en Steven, die hun kleine broertje misten, Sandra en Chiel uit de Holte, en Desi van zeven die altijd bij Sandra in bed kroop.

Mo keek even naar de kriebelende beestjes die uit het houtmolm kropen. Hij had er al spijt van dat hij ze te voorschijn had geklopt.

Heimwee had hij zelf ook gehad, in het begin. Bukziekte noemden ze het hier – omdat je elke keer dat je moest huilen bukte om zogenaamd een steentje uit je schoen te halen. Mo had er niets van laten merken, dat hielp toch niet. En nu voelde hij zich helemaal thuis hier op Drakeneiland. Hij was blij dat hij mocht blijven. Ze hadden hem nodig.

De rest van het groepje op de steiger moest gewoon plaatsmaken voor nieuwe kinderen. Ze hadden zich heus wel goed gedragen – alleen niet goed genoeg om te mogen blijven. Het verblijf op Drakeneiland was weliswaar als straf bedoeld, maar de meeste kinderen reageerden net als Mo: als ze eenmaal gewend waren, wilden ze niet meer weg. Toch moest dat na een maand. Alleen als je je onmisbaar had gemaakt, hoefde je niet te vertrekken.

Mo had niets laten merken toen hij hoorde dat hij mocht

blijven. Hij was aangesteld als Klokkenluider en als Postiljon, baantjes die volgens hem net zo goed door een ander vervuld zouden kunnen worden. Maar de Parlevinkers – de eilandraad – hadden besloten dat Drakeneiland Mo nodig had. Dat maakte Mo heel blij en, ergens diep in zijn hart, ook trots.

Het was de ochtend na Toedeledokie, het midzomerfeest. De vorige dag had de hele eilandbevolking gelachen en gedanst, er waren kinderen gehuldigd en later hadden een paar kinderen stiekem gezoend in het donker.

Mo had het allemaal kunnen zien vanuit de grote eik op het plein, waarin zijn klok hing. Hij werd verlegen van feesten. En hij had zich verdrietig gevoeld omdat de tweeling weg zou gaan, Ewout de Aanklager en Cornald de Parlevinker. Ewout was Mo's beste vriend geworden hier op Drakeneiland.

De boot beneden in de baai lag nu vast. Op het dek verdrong zich een groepje nieuwelingen. Een lange jongen baande zich een weg tussen de anderen door en sprong van boord. Mo zag dat hij daarbij met zijn elleboog een kleinere jongen in het gezicht stootte, maar hij scheen het niet te merken.

De kleine jongen stond er angstig bij, zelfs van een grote afstand kon Mo zien dat hij weigerde het schip te verlaten. Mo grinnikte. Nu was dat jochie nog huiverig, omdat hij nog niet beter wist. Ongehoorzame kinderen werden bang gemaakt voor Drakeneiland, de strafkolonie van meneer Papadopoulos – een man die niemand ooit had gezien. Maar over een paar dagen, hooguit een week, zou dat opdondertje niet meer weg willen.

De nieuwelingen werden opgevangen door Myrna, de Huisvester. Zij had ervoor gezorgd dat alle verlaten huisjes waren opgeruimd en schoongemaakt. De nieuwkomers zouden zich er meteen thuis voelen, want Myrna had zelf overal een vers brood en een pot wilde bloemen gebracht.

Mo mocht Myrna. Ze was net zo oud als hij, twaalf, maar wel een stuk langer. Ze was eerlijk en ze deed altijd wat ze beloofde. Trouwens, dat moest ook: een belofte niet nakomen was strafbaar op Drakeneiland. Het was de Achtste Wet.

De Tien Wetten hingen aangeplakt op de eik in het centrum. De Parlevinkers vergaderden daar elke ochtend. Vaak zat Mo dan in zijn boom te luisteren. Hij was degene die de besluiten bekend moest maken, dus was het handig als hij in de buurt bleef.

Daardoor, en ook doordat hij de post rondbracht, wist Mo heel veel van wat er gebeurde op Drakeneiland, meer dan wie ook.

Mo was erbij geweest toen Sandra dat gemene briefje zonder afzender kreeg.

Mo was er als enige getuige van dat de Parlevinkers Mark buitenspel zetten, waarna niemand meer met hem mocht omgaan.

Mo had de gefluisterde gesprekken gehoord tussen de Koddebeier en de Aanklager als er een rechtszaak op til was.

Mo had gemerkt dat Losbol de Schilder stiekem liefdesbriefjes stuurde aan Marisol, ook een Parlevinker.

En ook wist Mo hoeveel Drakengoud er in de schatkist zat – omdat hij muisstil op een tak had gezeten toen Moon de Schatbewaarder de koperen spieën telde die op Drakeneiland als betaalmiddel golden.

Mo wist dingen omdat hij weinig praatte en goed luisterde. Omdat hij niet meedeed, maar keek. Hij zou wel anders willen zijn, iemand die in het middelpunt durfde te staan, zoals Wendel, de voorzitter van de Parlevinkers. Of een held die levens redde, zoals Mark. Of iemand aan wie anderen hulp gingen vragen, zoals Renée, de Bakker.

Maar zo was hij nou eenmaal niet. Hij was een toekijker. Daarom zagen de meesten hem over het hoofd. Behalve Ewout kende niemand hem goed.

En nu ging Ewout weg. Kijk, daar sprong hij al aan boord, hij kreeg een duw van zijn tweelingbroer, hij duwde terug, en zijn lach schalde over het water, zo luid, dat Mo het hierboven kon horen.

Dag Ewout.

Even boog Ewout zich over de reling, en het leek alsof hij de menigte op de wal afspeurde naar het gezicht van Mo.

Hier ben ik, dacht Mo, hierboven... Maar hij kwam niet achter zijn struik vandaan om te zwaaien. En toen de speedboot even later wegspoot, begeleid door afscheidskreten vanaf de steiger, kwam hij niet overeind. Ewout stond nog steeds bij de reling, zijn hand boven zijn ogen.

Dag Ewout, dacht Mo opnieuw. Hij kwam in één beweging overeind, zonder zijn handen te gebruiken. Op een sukkeldrafje liep hij omhoog naar Akropolis, het belangrijkste dorp van Drakeneiland, dat ze meestal gewoon 'het centrum' noemden. Op het verlaten plein klom snel hij in de eik. Even later galmden de klokslagen over het eiland, in het ritme dat betekende: *Kinderen vertrokken, tot ziens! Kinderen gekomen, gegroet!*

Mo zei nooit veel, maar de klok sprak voor hem.

Ewout vertrokken, tot ziens...

Een stoere jongen en een bange

De nieuwe kinderen waren rumoerig en lacherig. Tijdens de bijeenkomst met de Parlevinkers, waarbij ze zich voor moesten stellen en de regels te horen kregen, stonden ze te giechelen en elkaar te duwen. Dat was normaal, Mo herinnerde het zich van zijn eigen aankomst. Ze wisten nog niet wat ze konden verwachten. Hun verwarring probeerden ze te verbergen door giebelegeintjes en gedoe.

Bij het voorstellen, in de kring onder de grote eik, moesten alle kinderen opbiechten voor welk vergrijp ze naar Drakeneiland waren gestuurd. Mo herinnerde zich hoe vreselijk hij dat zelf had gevonden: hij had de postzegelverzameling van de meester van groep zeven geleend en toen iemand er geld voor bood zonder nadenken verpatst. Sommige nieuwelingen deden stoer en schepten op over de streken die ze hadden uitgehaald. Hun bluf werd straal genegeerd, net zolang tot hun stoere grijns veranderde in een schaapachtige grimas. Anderen hadden er moeite mee hardop te zeggen waarvoor ze waren gestraft. Maar het moest, anders mocht je niet eens blijven. De boot was weliswaar vertrokken, maar als Stijn de wal opriep via de radio, kon die morgen weer in de haven zijn.

Het viel Mo op dat een lange jongen – misschien dezelfde die zo ruw had voorgedrongen bij het verlaten van het schip – zich niet scheen te schamen. Marnix heette hij. Zonder blikken of blozen vertelde hij dat hij zijn buurkinderen in elkaar had geslagen.

'Ze vroegen erom,' zei hij schouderophalend.

Wendel, de Voorzitter, deed net of hij dat niet had

gehoord. Hij legde uit dat er geen volwassenen waren op Drakeneiland. Niemand die toezicht hield, niemand die zei dat je op moest ruimen of afwassen of ophouden je buurjongen te pesten.

'Ha! Dus we kunnen doen wat we willen?' vroeg Marnix. Hij was ook gespierd, zag Mo.

'Zolang niemand anders er last van heeft,' zei Wendel geduldig. 'Tweede Wet, Marnix.'

'Dus ik kan doen wat ik wil,' concludeerde Marnix. Hij keek Wendel uitdagend aan, maar die hapte niet. In plaats daarvan gaf hij twee kinderen opdracht mobieltjes en spelcomputers in te zamelen. Dat gaf, net als op de dag dat Mo was aangekomen, een hoop gemor en gemopper. Mo grinnikte. Hij had toen ook nog niet geweten dat hij zijn speeltjes geen minuut zou missen...

Daarna gaf Wendel Moon het woord, die vertelde dat ieder kind elke zaterdag evenveel spieën kreeg uitbetaald. Alleen als er over je geklaagd was, kreeg je minder.

'Maar in principe hoef je dus niets te doen voor dat geld?' Natuurlijk was dat Marnix weer.

Wendel lachte.

'Dat had je gedroomd! Maar je zult het wel merken.'

Daarna kondigde hij aan dat er volgende week nieuwe Parlevinkers zouden worden gekozen – alle beslissingen werden door de Parlevinkers genomen. Iedereen die Parlevinker wilde worden, kon zich verkiesbaar stellen op de lijst die Mo zou bijhouden. 'Verder,' zei Wendel, 'moeten álle nieuwkomers een beroep kiezen. Je kunt fietsenmaker worden, of visventer, geitenhoeder. Imker, olijvenplukker, lampolieverkoper of batterijenoplader...'

'Wat een achterlijke baantjes,' zei Marnix, die kennelijk niet lang zijn mond kon houden. Hij had een vreemd gezicht, grof en intelligent tegelijk.

'Je kunt ook verslaggever worden,' zei Wendel geduldig, 'bij de *Tamtam*, onze krant. Of Aanklager – de vorige is vertrokken.'

'Aanklager lijkt me wel wat,' zei de lange jongen.

'Wat je ook kiest,' zei Wendel, 'je moet het wél waarmaken, Marnix. Als je klachten krijgt, kun je je baan kwijtraken. En als je drie keer door de Schout veroordeeld bent, moet je van Drakeneiland af.'

Het bange jongetje, Koentje heette hij, hoorde dat met grote ogen aan. Hij zag kennelijk nog steeds niet in wat daar erg aan was. Mo grinnikte. Hij zou Myrna vragen een beetje extra aandacht aan dat joch te geven.

'Als ik de Aanklager ben, kan die Schout me niks maken,' zei Marnix weer. Hij grinnikte en keek om zich heen, alsof

hij bijval verwachtte. Die kreeg hij alleen van een paar van de nieuwkomers. De meesten lachten trouwens niet, merkte Mo op.

'Dat zul je dan nog wel merken,' zei Wendel. 'Dus jij wilt Aanklager worden?'

Alsjeblieft niet, dacht Mo. Maar hij zei natuurlijk niets. Dit was een zaak van de Parlevinkers.

'Doe maar,' zei de lange jongen, alsof het hem niks kon schelen.

De Parlevinkers maakten geen bezwaar, zodat Drakeneiland weer een nieuwe Aanklager had. Was Mo nou echt de enige die zag dat ze met die Marnix veel slechter af waren dan met Ewout? Nee, Wendel wist het ook, zag Mo.

Eén voor één kregen de andere nieuwelingen ook een taak toegewezen. Tenminste, de groten. De kinderen onder de tien moesten zichzelf zien te vermaken, tenzij ze werden aangesteld als hulpje. Er was altijd veel werk, legde de voorzitter uit, want de Drakeneilanders moesten zelf voor hun kostje zorgen.

'Als iemand luiert, merken de anderen dat meteen in hun maag.'

'Nou, daar zal ík tenminste geen last van hebben,' lachte Marnix.

Misschien was het omdat hij zelf geen praatjesmaker was, maar Mo had aan die Marnix een hekel op het eerste gezicht. En op het tweede en derde gezicht.

Myrna had Koentje zelf in huis genomen. Toen Mo bij hen langsging, zat hij op de veranda garnalen te pellen. Hij had vlugge vingers. Toen Mo hem gedag zei, keek hij even schuw op; er vloog een bliksemsnel lachje over zijn gezicht.

'Ik kwam je uitnodigen voor het eten,' zei Mo binnen

tegen Myrna. 'Ik heb bonensoep gekookt. Er is genoeg, Koentje kan ook mee-eten.'

Myrna was bezig een tijmplantje in een grotere pot te zetten. Er vielen kruimeltjes aarde op de planken vloer. Daardoor zag je juist hoe schoon het er verder was.

'Bonensoep, lekker,' zei Myrna. Haar glimlach duurde langer dan die van het jongetje buiten. 'Maar kun je hem niet bewaren? Die garnalen bederven anders. Mag jij met óns mee-eten.'

Mo vond het best. Hij had gewoon niet alleen willen zijn vanavond.

'Jammer hè, dat Ewout weg is.'

Mo knikte. En toen knikte hij nog eens, in de richting van de veranda.

'Hoe gaat het?'

'Beter,' zei Myrna. 'Hij blijft maar vragen waar de draak is. Vertel jij het hem anders – mij gelooft hij niet.'

Mo ging Koentje helpen met pellen.

'Die draak hè, die is van steen,' zei hij op een gezellige verhaaltoon. 'Er is een berg en die lijkt een beetje op de kop van een draak. In die berg is een grot , een hele diepe, en soms spelen we dat dat de bek van een draak is, maar dat is niet echt.'

Koentje leek hem maar half te geloven. Hij was hierheen gestuurd omdat hij aan één stuk door loog. Kennelijk ging hij ervan uit dat anderen dat ook deden.

'Ze noemen dit Drakeneiland,' voegde Mo er nog aan toe, 'omdat ze er draken van kinderen naar toe sturen. Zoals ik. En jij. En Myrna. Myrna is wel een heel enge draak, vind je niet?'

Maar Koentje lachte niet. Pas tijdens het eten kwam hij een beetje los.

'Wie brengt ons eigenlijk naar bed?' vroeg hij.

'Niemand,' zei Myrna. 'We doen hier toch alles zelf.'

'En wie zegt dan wat je niet mag?'

'Wijzelf.'

'En als ik jok? Wie sluit me dan op in de kast?'

Mo zag Myrna slikken.

'Niemand,' zei ze. 'Zulke straffen geven we niet op Drakeneiland.'

'Maar als je me slaat, loop ik weg,' zei Koentje ferm. 'Dan... dan zwem ik gewoon terug naar Nederland. Kan ik makkelijk.'

Mo lachte, maar Myrna keek hem waarschuwend aan.

'Ik zal je niet slaan, Koen,' zei ze. 'Dat mag ik niet eens. Dat is de wet hier op Drakeneiland.'

'Kun jij al zwemmen?' vroeg Mo.

Koentje knikte trots, en ze praatten verder over zee en golven en zandkastelen.

Toen Mo die avond in bed lag, merkte hij tot zijn verwondering dat hij Ewout niet eens zo erg gemist had.

Paarse vingers

De volgende dagen had Mo geen tijd meer voor gezellige bezoekjes. De verkiezingen brachten voor hem veel drukte mee. Om de haverklap moest hij de klok luiden, om de toespraak aan te kondigen van weer een kandidaat. Ook kreeg iedereen een stembiljet thuisgestuurd – gedrukt op de pers van de krant – en Mo's posttas zat dus veel voller dan anders. De Schout, Liam, richtte de drie stembureaus in, met hulp van Jeroen, de pasbenoemde Koddebeier. Eén in het centrum, één in de Holte, en één in het kunstenaarsdorp de Diepte. Mo moest in elk dorp posters aanplakken met de plek en de openingstijd.

Op de dag van de verkiezingen luidde hij 's ochtends om zeven uur de klok om aan te geven dat de stembureaus open waren. Het gebeier maakte hem klaarwakker. Het was prachtig weer en hij ging zelf meteen maar stemmen, in zijn eigen postkantoortje. Onder toezicht van Wendel en Jeroen drukte hij zijn wijsvinger op het kussen met paarse inkt en liet hij zijn stembiljet in de bus glijden. Je mocht op drie kandidaten je stem uitbrengen; Mo had gekozen voor Wendel zelf, voor Marisol en voor Kaj, die tot nu toe vis had gevent.

Daarna ging hij in zijn boom zitten uitrusten. Het waren zware dagen geweest.

Zo zag hij dat Marnix, de nieuwe Aanklager, niet alleen naar het stembureau kwam. Hij was het middelpunt van een groepje jongens, meest nieuwelingen. Mo kende hun namen nog niet allemaal. Wel herkende hij Pjotr, een op het eerste gezicht aardige knul die zich verkiesbaar had gesteld. Veel aanhang kon hij nog niet hebben, omdat hij nieuw was. De Drakeneilanders kenden hem nog niet.

Marnix had het hoogste woord.

'We zullen er wel eens even voor zorgen dat…' De rest kon Mo niet verstaan, omdat het groepje in het postkantoor verdween.

Hij werd afgeleid door een stel meiden die ruzie kregen pal onder de eik. Ze schenen het niet eens te zijn over de kandidaten die ze zouden kiezen. Typisch meiden, dacht Mo; je hoefde toch niet allemaal hetzelfde te stemmen, alleen omdat je vriendinnen was?

Pas toen de meisjes in het stembureau verdwenen waren, merkte hij dat het groepje van Marnix en Pjotr nog steeds niet naar buiten was gekomen. Was er iets mis met het stempelkussen of zo? Maar nee: de een na de ander ging naar binnen en kwam weer naar buiten met een paarse wijsvinger. Marnix en zijn vrienden hadden misschien de achterdeur genomen. Of ze bleven voor de lol bij de stembus rondhangen.

Voor de lol?

Mo zwaaide zijn been over de tak waarop hij zat, liet zich eraf glijden tot hij aan zijn armen hing en sprong op de grond.

Hij rende naar het stembureau. Bij de ingang werd hij tegengehouden door een van de vrienden van Marnix.

'Jij hebt al een paarse duim,' zei hij. 'Of wil je nog eens? Mag wel hoor. Zolang je maar op Pjotr stemt.'

'Ik wil alleen Wendel spreken,' zei Mo. Zijn wantrouwen groeide.

'Wendel is even poepen,' zei de nieuweling.

Mo draaide zich om. Dat was niet waar; de wc's waren aan de andere kant van het plein, in een apart gebouwtje. Het plein had hij de hele tijd in de gaten gehouden. Wendel was niet naar de wc.

Waarom loog die jongen? Daar kon maar één verklaring voor zijn… Ze sjoemelden met de stemuitslag! Marnix en zijn vrienden. Zie je wel dat die Marnix niet te vertrouwen was!

Hij moest hulp halen. De Schout! Struikelend over zijn voeten rende Mo naar Liams huis. Die was er niet. Dat was waar ook: Liam hield toezicht in het stembureau in de Diepte. Mo holde terug naar het plein en nam een fiets uit het rek. Zonder zich iets van kuilen of stenen aan te trekken, racete hij naar het kunstenaarsdorp. Het stembureau daar was gevestigd in de dansstudio van Lisa en Lena. Mo had de fiets nog niet in het rek gezet of hij zag het al. Ook hier stond een stevige knul in de deuropening. En Mo had opeens het vermoeden wat er zou gebeuren als hij naar Liam zou vragen. Die was ongetwijfeld nét even naar de wc…

Mo stapte erop af.

'Ik kom stemmen,' zei hij tegen de jongen. Gert, Gerrie, Gerrit?

'Stembiljet?' vroeg de jongen.

'Heb ik niet meer,' zei Mo. Hij liet even zijn paarse wijsvinger zien. 'Maar ik wou nog eens. Pjotr moet winnen, vind je niet?'

Gerrit of Gerrie grijnsde van oor tot oor en deed een stap opzij.

'Ga je gang,' zei hij.

Achter de tafel met het stempelkussen zat niemand. Bij de stembus stond nog een nieuweling, een meisje. Ze had een stapeltje papier in haar hand. Mo glimlachte naar haar.

'Waar hebben jullie Liam gelaten?'

Het meisje lachte terug.

'Hij moest opeens dringend weg,' zei ze.

'Slim,' zei Mo. 'Maar hoor eens, ik ben mijn stembiljet kwijt en…'

'Geen probleem,' zei het meisje. 'Je stemt toch op mij?' Ze gaf hem een vel van haar stapeltje. Het was een stembiljet. Nep natuurlijk. Het hokje voor Pjotrs naam was al groen gemaakt, net als de hokjes van Gerrit en Ronda. Dit was dan zeker Ronda.

Mo liet het in de stembus glijden. Als hij Liam had opgespoord, zouden de verkiezingen tóch ongeldig worden verklaard. En Marnix en zijn vriendjes – Pjotr, Gerrit, Ronda – konden het dan schudden. Zij zouden een nieuw record vestigen: nooit eerder had iemand binnen een week het eiland moeten verlaten.

Ook al vermoedde hij wel wat hij aan zou treffen, Mo ging ook nog poolshoogte nemen in de Holte. Er woonden daar veel Parlevinkers en hij hoopte dat hij iemand zou kunnen vinden die net als hij had gemerkt dat er stront aan de knikker was. Hij dacht dat Marisol en Dana, de Ezeldrijver, in de Holte toezicht moesten houden op het stemmen. En het verbaasde hem niet toen ze nergens te bekennen waren.

Wendel en Jeroen. Liam en nog iemand. Marisol en Dana. Zes kinderen, toonaangevende Drakeneilanders, waren weggemoffeld. Waar konden ze zijn? Wat hadden Marnix en zijn kornuiten met hen uitgevoerd?

Het ergste was nog dat Mo er niets tegen kon doen. Hij kon geen klacht indienen bij de Parlevinkers, want de raad was gisteren ontbonden. Naar de Aanklager kon hij ook niet gaan, want dat was Marnix.

De rest van de dag fietste Mo over het eiland. Hij keek onder elke veranda en achter elke struik. Maar de zes verdwenen kinderen vond hij niet. Waren ze misschien opgesloten in één van de vele grotten en spelonken? Zoiets was Mark ook al eens overkomen. Maar dat was toen voor de grap.

Om zeven uur precies luidde Mo de klok om het einde van de verkiezingen aan te geven. Wat kon hij anders?

De pruimenbuikloop

Mo was niet verbaasd toen hij het postkantoor binnen-kwam en zag dat de stemmen werden geteld onder toezicht van Marnix.

'Waar is Moon?' vroeg hij. 'Zij is het rekenwonder hier. Zij zou de telling bijhouden.'

'Moon moest iets anders doen,' zei Marnix.

'Wat dan?' vroeg Mo. Poepen soms? dacht hij.

'De... kas opmaken. Spieën tellen, of hoe jullie het geld hier ook noemen. Ze moet straks de Schatkist overdragen aan de nieuwe Voorzitter van de Parlevinkers.' Hij trok even met zijn bovenlip; misschien moest het een glimlach voorstellen. 'Dus nu houdt de Aanklager toezicht op het tellen. Heb je daar problemen mee?'

Mo dacht snel na. Het was misschien beter Marnix nog niet tegen zich in het harnas te jagen. Niet voordat hij Wendel en Liam gevonden had.

'Nee hoor,' zei hij. 'Goed juist. Ik hoop dat Pjotr gewonnen heeft. Ik heb op hem gestemd. Twee keer.' Hij knipoogde. Hij was niet zo goed in knipogen, maar Marnix trapte erin.

'Heel goed,' zei de Aanklager. 'Jij bent een man die te vertrouwen is, dat zie ik wel.'

Heel, héél even voelde Mo zich gevleid door dat woordje 'man' uit de mond van die gespierde jongen. Toen draaide hij zich om en verliet het postkantoortje.

Hij moest medestanders vinden. Had hij maar meer vrienden...

De volgende ochtend werd de uitslag bekendgemaakt. Maar niet door Wendel, de oude Voorzitter, zoals de gewoonte was. Wendel lag thuis in bed met buikloop. Mo was dat gaan controleren, en het klopte. Bleek en kermend lag Wendel op zijn bed, met maar één gedachte in zijn hoofd: of hij de volgende keer dat hij naar de wc rende eerst zou poepen of liever eerst zou overgeven.

'Wat is er gisteren gebeurd?' had Mo ongerust gevraagd. 'Ik heb jullie overal gezocht. Tóén lag je hier niet in bed – hebben ze jullie ergens vastgehouden of zo?'

Maar Wendel kreunde en sprong uit bed, zijn handen tegen zijn buik. Op blote voeten rende hij naar het dichtstbijzijnde washok.

De buikgriep had bij zes kinderen toegeslagen, de zes die toezicht hadden moeten houden bij het stemmen. Ze hadden te veel van de onrijpe pruimen gegeten die een dankbare kiezer hun had aangeboden – wie dat was geweest, werd er niet bij verteld. Tussen de diarreeaanvallen en het overgeven door zeiden de zieken dat de nieuwe Aanklager vast alles naar behoren zou afhandelen. Alles vonden ze best, als ze maar met rust werden gelaten...

Er werd een nieuwe voorzitter geïnstalleerd: Pjotr. Hij en Gerrit en Ronda hadden verreweg de meeste stemmen gehaald. Tenminste, dat beweerde Marnix. Van de oude Parlevinkers waren er maar weinig opnieuw gekozen. Zelfs Marisol, die enorm populair was geweest, had het niet gehaald. Héél vreemd, vond Mo.

Hij zat in de eik somber neer te kijken op de bijeenkomst van de Parlevinkers. Bijna alle Drakeneilanders hadden zich verzameld op het plein; in dikke rijen stonden ze rond de stenen bankjes waarop de nieuw gekozen leden zaten. Hij speurde de gezichten af. Was er nou niemand die onraad rook? Sommige gezichten stonden slaperig en een enkeling keek knorrig. Maar niemand zag er wantrouwig of verontwaardigd uit. Mo zou geen medestander kunnen vinden. Hij zou zelf zijn mond open moeten doen. En dat durfde hij nou juist niet!

Nog even, en dan zou hij de klok moeten luiden om hun beëdiging te bekrachtigen. Hij móest wel; de Klokkenluider moest doen wat de Voorzitter van de Parlevinkers zei.

Ook als het niet eerlijk was?

Maar daarover stond niets in de Wetten. Alles was altijd eerlijk toegegaan op Drakeneiland, omdat iemand die in de fout ging, meteen een klacht aan zijn broek kreeg. Een klacht betekende minder spieën, minder spieën betekende geen batterijen voor in je zaklamp of droog brood in plaats van pizza. Wie drie keer door de Schout veroordeeld was, moest van Drakeneiland af. Dus hadden de eilandbewoners altijd op hun tellen gepast.

Terwijl hij gehoorzaam de klok luidde, voor elke Parlevinker één slag, dacht Mo na. Wat kon hij doen? In zijn eentje niets. Eerst moest Liam beter zijn. Wendel was zijn baan kwijt, die had niets meer te vertellen. Maar Liam was nog altijd de Schout. En dan was er nog Jeroen, de nieuwe Koddebeier. Hij was nog maar net op het eiland, maar ook hij had de pruimenbuikloop gekregen. Hij stond vast niet aan Marnix' kant.

Mo viel bijna van zijn tak toen Marnix opeens bulderde: 'Klokkenluider! Wakker worden! Je moet de nieuwe wet bekrachtigen! Hup, slaan met die banaan!'

Er werd gelachen. Mo knarsetandde. Dat was toch zeker niet grappig!

En een nieuwe wet? Dat kón helemaal niet! De Tien Wetten van Drakeneiland waren opgesteld door meneer Papadopoulos zelf. Daar viel niet aan te tornen.

Hij hoefde gelukkig niets te zeggen. Want Myrna was

tussen de toeschouwers uit naar voren gestapt. Ze ging in de kring van bankjes staan en begon: 'Maar we kunnen toch niet zomaar…'

'En wie ben jij?' vroeg Marnix met hoog opgetrokken wenkbrauwen.

'Myrna. Ik wil…'

'Ben je gekozen tot Parlevinker?'

'Nee, ik ben de Huisvester. Maar…'

Marnix begreep haar expres verkeerd.

'Ah, je bent de Huisvester maar. Hou dan je mond alsjeblieft.'

'Maar je bent zelf niet eens een Parle…' probeerde Myrna.

'Juist. Daar is dus die nieuwe wet voor. Die zojuist is aangenomen door de meerderheid van de Parlevinkers. De Aanklager is voortaan automatisch lid van de Parlevinkers. Luid de klok, Klokkenluider.'

Mo moest wel. Hij liet de klok drie keer twee maal galmen, wat betekende dat er een nieuwe regel van kracht was.

'Volgende wet, voorzitter,' zei Marnix bazig.

Pjotr schraapte zenuwachtig zijn keel.

'Ik weet niet meer…'

'Je weet het nog best. De ggg…?'

'O ja, de garde,' zei Pjotr. 'Vanaf vandaag wordt er een garde aangesteld. Om daarbij te komen moet je een test doen. Wie snel en sterk genoeg is, krijgt een knuppel en een katapult en toestemming om pijl en boog te maken.'

'Wauw!' riep Niels uit. 'Mogen we schieten!' Opgewonden gemompel golfde door de rijen. Een paar jongens uit de Holte stonden te springen van opwinding.

'Iemand tegen?' vroeg Pjotr.

Ja, ik, dacht Mo. Zijn ze helemaal gek geworden? Wapens uitdelen? Sommige kinderen waren hier omdat ze onverbeterlijke pestkoppen waren geweest. Anderen omdat ze thuis altijd aan het vechten waren. En dan wapens!

Maar Mo had geen recht van spreken en niemand stemde tegen. Nog geen minuut later hadden de Parlevinkers ook deze wet aangenomen.

Opgeschreven werd er niets, zag Mo. Deze nieuwe raad leek het niet zo nauw te nemen met orde en regels.

Nadat hij het einde van de vergadering had geslagen, liet Mo zich uit de eik vallen en ging hij naar huis. Hij deed de deur dicht en ging op bed liggen. Ook al had niemand hém onrijpe pruimen aangeboden, hij voelde zich ziek.

De Dragonders

Mo was juist in slaap gesukkeld, toen er hard op de deur werd gebonsd. Een beetje in de war, duizelig van de slaap, deed Mo open. Voor de deur stonden Jeroen en Niels, het hulpje van Mark, die op Drakeneiland de spellen organiseerde. Niels was pas tien, maar hij stond er stoer bij. Was hij nu de assistent van de Koddebeier?

'Heb je een rood T-shirt?' vroeg Jeroen.

'Ja,' antwoordde Mo verbaasd.

'Inleveren,' zei Jeroen. 'Op last van de Parlevinkers.'

'Waarom?' vroeg Mo.

'En snel een beetje,' zei Jeroen. 'Er lopen al twee klachten tegen eilanders die hebben geweigerd. Dus. Kies maar.'

Mo zocht zijn rode T-shirt op en gaf het aan Jeroen. Hij begreep nu dat Jeroen, ondanks zijn buikloop van de vorige dag, braaf deed wat de nieuwe Voorzitter en Aanklager zeiden.

Toen ze weg waren, kleedde hij zich aan en slenterde door Akropolis in de richting van zijn postkantoor. Hij moest de bus nog legen en de avondpost uitzoeken.

'Eén, twee, drie, vier! Eén, twee, drie, vier! Eén, twee...'

Mo keek om. Even later werd hij bijna onder de voet gelopen. Hij sprong opzij en keek vanachter een kei verbijsterd het groepje jongens en meisjes na dat twee aan twee voorbij marcheerde. Allemaal met een stevige tak over hun schouder. Allemaal met een katapult aan hun riem. Allemaal gekleed in rode T-shirts...

'Gaan ze ons nou slaan?' Koentjes hand gleed in de zijne.

'Dat mochten ze willen!' mompelde Mo boos.

Een paar stappen van hem vandaan leunde Pierre, de Pizzabezorger en Woordenbedenker, over het stuur van zijn pizzabezorgfiets. Hij droeg een rood T-shirt en een groene broek, zoals gewoonlijk.

'Dus daarvoor hebben ze die T-shirts ingepikt!' zei hij. 'Nou, het mijne hebben ze mooi niet gekregen. Ik kan toch geen pizza's bezorgen in een gewoon wít shirt!'

'Het zijn Draak-onders,' zei Koentje. 'Ze zijn wél sterk.'

Pierre lachte.

'Draak-onders! Wil jij geen Woordenbedenker worden, knullie?'

'Zo heten ze hoor,' zei Koentje verbolgen. 'En je moet doen wat zij zeggen, anders gooien ze je in het Honderd Meter Diepe Hol. Weet je dat niet?' Zijn ogen stonden weer angstig groot.

'Zo'n hol is er helemaal niet!' zei Mo. 'Op het hele eiland niet! Hè Pierre?' Hij was nijdig; Koentje wás al zo bang! En nou maakte die idiote garde het nog erger!

'Zo is het,' zei Pierre. 'Nou, toedeloe. Ik moet foetsie, mijn pizza's worden koud.' Hij spoot ervandoor, staand op de trappers. Grind spatte op tegen de benen van de nieuwe garde, die bij elk rondje om het plein harder stampte.

'Nou...' aarzelde Koentje. 'Marnix zegt het, en Marnix heeft meestal wel gelijk.' Hij wuifde met zijn hand naar het westen. 'Het is daar ergens. Heel ver weg. Niemand kan je horen als je roept.'

In het westen waren de bergen het hoogst; de Piek in het midden en de Drakenkop op de westpunt staken boven alles uit. Mo wist helemaal niet zeker of er niet toch ergens zo'n diep hol was. Het zou verklaren waarom die zes kinderen gisteren onvindbaar waren geweest...

Opeens zag hij dat Niels meemarcheerde – in zíjn T-shirt! Ook al was Mo niet groot, het slobberde toch een beetje om Niels' smalle schouders.

31

'Het moet toch niet gekker worden!' mompelde hij boos.

'Inderdaad.' Mark was naast hem stil blijven staan. De Spellier, die een paar dagen geleden de eretitel 'Drakendoder' had gekregen omdat hij een paar kinderen had gered.

'Het wordt steeds mooier – nou hebben ze mijn assistent al geronseld voor hun Dragonders. En toen ik protesteerde, kreeg ik om mijn oren met die knuppels van ze.'

'Maar dat kán toch niet!' riep Renée, die op het punt stond aan haar bezorgronde te beginnen. Haar blonde haar was bestoven met meel. De mand van haar bakkersfiets zat vol verse broden.

'We moeten een klacht indienen!' zei ze zachter.

'Maar niet bij Marnix, dat heeft geen zin,' zei Mark. 'Bij Liam – een goeie knul. Onze Schout. Eerlijk en zo. Maar vanochtend was hij ziek en nou weet niemand waar hij uithangt.'

Renée vloekte, een van de krachttermen die op Drakeneiland waren toegestaan. 'Verdrie! Mijn band is lek! En ik heb hem al zó vaak geplakt – ik heb een nieuwe binnenband nodig, denk ik. Nou moet ik helemaal naar het magazijn.'

'Ik ga wel even,' zei Mark. Hij sprong op een van de fietsen die voor algemeen gebruik in het rek stonden. 'Zó terug!'

Mo liep door naar het postkantoor en leegde de brievenbus. Hij begon de post te sorteren. Even later kwam er een meisje in een rood T-shirt binnen, katapult aan haar riem, knuppel over haar schouder. Het was Meral, een vriendin van Ronda. Als Mo het goed onthouden had, hoorde ze haar spieën te verdienen met citroenlimonade. Ze begon alle enveloppen te bekijken, voorkant, achterkant – ze hield ze zelfs tegen het licht en probeerde ze te lezen.

'Hé, afblijven!' zei Mo. 'Nooit van briefgeheim gehoord?'

'Nooit van veiligheid gehoord?' vroeg Meral. Ze ging gewoon door met wat ze aan het doen was.

'Hou daarmee op,' zei Mo.

'Niks ervan. Bevel van de VP.'

'VP?' vroeg Mo. Daar had hij nog nooit van gehoord en hij was toch een volle maand langer op Drakeneiland dan Meral.

'De Voorzitter van de Parlevinkers. Pjotr dus. We moeten alle post controleren. Gewoon voor de veiligheid.'

Mo zuchtte. Nou dat weer!

Maar hij zei niets. Hij was nu eenmaal geen held.

Opeens kwam Mark het postkantoor binnen. Toen hij Meral zag staan in haar dragonderuitrusting, hield hij in. Onopvallend wenkte hij Mo.

'Moet je horen,' zei hij met gedempte stem toen ze achter het gebouwtje stonden. 'Ik kreeg geen binnenband bij het magazijn. Er stond een van die Dragonders de wacht te houden. Binnenbanden mogen niet meer verstrekt worden. En raad eens waarom?'

'Maken ze daar soms katapulten van?' vroeg Mo, die van thuis heel goed wist hoe dat moest.

'Precies,' zei Mark. 'Binnenbanden worden vanaf nu beschouwd als wapentuig. En voor wapens gelden speciale regels.'

'Mogen we onze zakmessen nog wel houden?' vroeg Mo. Hij legde zijn hand op zijn heup. Zijn zakmes stond hij niet af!

'Goeie vraag,' zei Mark. 'Wedden dat daar ook een nieuwe regel voor komt?' Mo haalde diep adem. Gelukkig stond Mark aan zijn kant. En Renée ook. Er was nog hoop.

'We moeten Liam zien te vinden,' zei Mo. 'Zo snel mogelijk.'

'Ja,' zei Mark. Hij begon te fluisteren: 'Ik denk trouwens

dat ik weet wat er op de dag van de verkiezingen is gebeurd. Met de kinderen die toezicht hielden op het stemmen. Jonathan zei…' Hij hield plotseling op en staarde over Mo's schouder.

Op hetzelfde moment voelde Mo iets prikken tussen zijn schouderbladen.

'Hé!' zei de harde stem van Jeroen. 'Wat staan jullie hier te smiespelen?'

'Gaat je niks aan!' zei Mark. 'Wat denken jullie wel, stelletje nieuwelingen, dat jullie hier de baas kunnen komen spelen? Zomaar eventjes alle wetten veranderen? De boel in het honderd sturen?'

'De kleintjes worden bang,' zei Mo. 'Het brood kan niet bezorgd worden. Er wordt niets opgeschreven. Privé-brieven worden gelezen. Liam is kwijt…'

'Die hebben die Dragonders van jullie zeker ontvoerd!' zei Mark. 'Stelletje tuig.'

'Verraad!' riep Jeroen. 'Hoogverraad! Jongens, kom helpen!' Hij floot op zijn vingers. Even later stonden er acht of negen Dragonders om hen heen. Marnix kwam ook aanhollen.

'In het Honderd Meter Diepe Hol,' zei Jeroen. 'Het zijn verraders.'

Mark en Mo keken elkaar even aan. Hier viel niets tegen te beginnen, dacht Mo, en hij dacht dat Mark dezelfde conclusie trok. Hij probeerde zich een hol van honderd meter diep voor te stellen. Honderd meter, dat was een flat van dertig verdiepingen. Daar klom je niet zomaar even uit. Misschien was het er donker, en klam, er zouden misschien glibberbeesten zitten… Mo begon te zweten bij het idee.

Maar helden zijn anders, en Mark was een Drakendoder.

'Ik protesteer!' riep Mark luidkeels. 'Renée, Marisol, Pierre, help!'

Zijn verzet duurde maar kort. Een van de Dragonders haalde een rol tape uit zijn zak en snoerde Mark de mond. Zijn kameraden hielden zijn armen en benen in bedwang. Alleen Niels, Marks voormalige assistent, deed niet mee, zag Mo. Zes Dragonders namen Mark tussen zich in. In looppas verdwenen ze tussen de huizen.

De dekmantel

'En wat doen we met deze?' vroeg Jeroen aan Marnix.

Marnix keek Mo bedachtzaam aan.

'De Klokkenluider,' zei hij. 'Niks. Prima vent.'

'Maar hij...' begon Jeroen.

'Kop dicht, Opper. Ik ken hem – Mo, toch? Ik benoem hem tot mijn persoonlijke Koerier. Ik heb het gevoel dat ik hem goed kan gebruiken.'

Mo deed zijn mond open om te protesteren. Toen dacht hij aan wat Mark was overkomen.

Nee. Tegen die Dragonders kon hij toch niet op. Hij zou het op een andere manier moeten aanpakken.

'Marnix,' zei hij. 'Ik wil best Koerier zijn, maar ik moet ook de post nog afmaken vandaag. Dat vind je toch wel goed? Het is al zo laat en ik moet het hele eiland nog rond.'

'Doe maar,' zei Marnix. Hij liep achter Mo aan naar binnen en knipte met zijn vingers naar Meral, die juist bezig was een envelop open te peuteren.

'Meral, dit is mijn persoonlijke Koerier. Hij staat direct onder mijn bevel. Je doet wat hij zegt, ja?' Nu keek hij Mo aan. 'Maar de veiligheid valt onder Meral, begrepen? Zij blijft verantwoordelijk voor het opsporen van...'

'Ja, van wat eigenlijk?' vroeg Meral.

'Nou, van eh... van complotten en zo,' zei Marnix. 'Staatsvijanden, samenzweringen tegen de VP, dat soort dingen.'

'O ja,' zei Meral, alsof ze er nu alles van begreep.

'Dus,' zei Marnix weer tegen Mo. 'Meral blijft hier en je kunt haar gerust als hulpje gebruiken, maar vergeet niet dat ze elke avond rapport uitbrengt aan de Opper.'

'Aan wie?' vroeg Mo.

'Aan Jeroen dus. Let je wel een beetje op? De Dragonders vallen onder hem. O ja, en Klokkenluider – Koerier bedoel ik – jij brengt elke avond aan mij persoonlijk verslag uit. En als je mij niet kunt vinden, aan de VP. Oké?'

'Oké,' zei Mo gedwee. 'De VP, dat is…'

'Pjotr natuurlijk, oen,' zei Meral.

'Hé, hé!' zei Marnix. 'Let een beetje op je woorden hè. Je bent maar een meisje hoor. Je mag eigenlijk niet eens bij de Dragonders.'

Mo keek hem verbaasd aan. Sinds wanneer golden voor meisjes speciale regels?

'Oké. Mo. Wat ik vooral wil weten is wie er brieven stuurt aan wie, en waarover. Dus vanaf nu wordt alles opengemaakt. Is het onschuldig, dan plak je het gewoon weer dicht. Wat niemand weet, daar heeft ook niemand last van. Dus mondje dicht. Maar alles wat verdacht is, wordt aan mij gemeld. Begrepen?'

'Ja majesteit,' zei Mo. Hij had het alleen willen denken, maar hij had het per ongeluk hardop gezegd. Hij probeerde te lachen, te doen alsof het een grapje was.

Gelukkig werd Marnix niet boos. Peinzend zei hij: 'Daar zeg je zowat. Waarom heeft Drakeneiland eigenlijk geen koning?' Met een nadenkende blik liep hij weg.

Meral stond wantrouwend Mo's kant uit te kijken.

'Wat sta je te niksen!' zei Mo. 'Hup, aan je werk! Je wilt toch geen aanslag op je geweten hebben, of wel?'

Nu had Mo er voordeel van dat de andere kinderen hem meestal over het hoofd zagen. Hij kon de Drakeneilanders in de gaten houden, hun bewegingen volgen, hun gesprekken afluisteren, hun gedrag bespieden, zonder dat ze er erg in hadden. Ze waren eraan gewend dat hij overal aanklopte, een envelop in zijn hand…

Daar waren vaak brieven van de Aanklager bij, die de hele dag opdrachten rondstuurde aan zijn vertrouwelingen. Mo moest de eerste dag wel acht briefjes bezorgen bij Pjotr, de Voorzitter van de Parlevinkers.

Zoals hij had beloofd, bracht Mo 's avonds verslag uit aan Marnix. Die had het huis ingepikt waar de Nieuwsjager had gewoond, een stevig stenen gebouwtje waarin ook het redactielokaal van de krant was. Marnix leunde met zijn stoel tegen de muur, zijn voeten op tafel, terwijl Mo zijn taak volbracht.

Tegen zijn gewoonte in gebruikte hij veel woorden. Hij deed ook of hij aantekeningen had gemaakt, hij raadpleegde telkens een volgekrabbeld papiertje, dat in feite de kladversie van de kieslijst was. Maar hij zéí eigenlijk niets, of alleen dingen die hij had verzonnen.

Algauw werd Marnix ongeduldig.

'Ik hoor het al, niks bijzonders dus. Kun je niet met wat beters komen?'

Mo haalde zijn schouders op.

'Ze zijn allemaal blij dat we zaterdag meer spieën krijgen. Ik denk dat iedereen heel tevreden is over de PV.'

'De VP, stommeling,' zei Marnix. 'Hebben ze jou wel leren lezen en schrijven? Of kun je alleen een beetje aan dat stomme klokkentouw van je hangen?'

Mo keek naar de grond. Toen waagde hij het een idee te opperen dat die middag bij hem opgekomen was.

'Ik heb eigenlijk een assistent nodig,' zei Mo. 'Liefst een klein kind. Geen meisje natuurlijk...'

'Nee zeg!' zei Marnix.

'Een jongetje dus. Niemand let op de kleintjes. Die zou mooi voor me kunnen spioneren.'

'Heb je iemand in gedachten?' vroeg Marnix.

Ja, dat had Mo. Hij wilde Koentje nemen. Dan kon hij een oogje op hem houden, hem beschermen. Maar hij zei: 'Nog niet... Het moet een onschuldig ventje zijn, zodat niemand hem voor een verklikker aanziet. Wil je dat ik er zo eentje zoek?'

'Doe dat,' zei Marnix ongeduldig. 'En nou oprotten, want ik...'

Op dat moment werd met veel kabaal de deur in de aangrenzende kamer opengegooid. Door de muur heen hoorden ze iemand roepen: 'Stop de persen. De krant van morgen moet over! Ze hebben de Schout opgepakt!' Het was de stem van Wouter, de Nieuwsjager zelf.

Mo schrok. Maar hij liet het niet merken. Hij moest aan zijn dekmantel denken. Voor het oog van Drakeneiland werkte hij tenslotte voor de Aanklager.

Zo snel als hij durfde verliet hij het huis.

Sint Joris

Mo had er wat voor gegeven als Ewout nog op het eiland was geweest. Iemand die hij door en door kende… Hij had een vriend nodig, iemand om zijn hart bij te luchten, en die hem niet zou aangeven bij de Dragonders, de VP of de Aanklager. Maar Ewout was nu eenmaal weg en hij kon niemand anders vertrouwen.

Nog lang nadat het donker was geworden, fietste hij over het eiland in de hoop dat hij Mark zag. Van hem wist hij tenminste zeker dat hij tegen de nieuwe orde was. Maar noch van Mark, noch van Liam was enig spoor. Het leek erop dat het Honderd Meter Diepe Hol echt bestond. Maar waar? De lichte wanden van de Kale Heuvels waren bespikkeld met donkere plekken: holen, gaten, spelonken, grotten… En dan was er nog de beboste helling van de Drakenkop. Die hele berg was doorsneden met gangen. Het leek onmogelijk dat Marnix al zo gauw een hol had gevonden dat nog niet eerder door een andere eilander was ontdekt. Maar aan de andere kant had Mo hem tijdens zijn eerste dagen op Drakeneiland vaak een fiets uit het rek zien pakken. Misschien had hij toen al zijn plannen gesmeed?

Ten slotte stapte Mo af in het centrum. Hij zette de fiets terug en slenterde naar het kantoor van de *Tamtam*. Daar móésten ze meer weten. Als Marnix hem betrapte, nou, dan was hij gewoon bezig met zijn werk: zijn oor te luisteren leggen.

Maar bij de redactie was alles donker. Waar woonde Wouter nu? Hij moest het Myrna vragen, die zou het als Huisvester wel weten. Even later klopte hij bij haar aan. Hij zag geen licht branden, maar hij wilde niet tot morgen wachten. Een spion deed zijn werk het beste 's nachts.

Myrna deed slaperig open. Haar haar zat in de war en haar ogen stonden op half zeven. Maar toen ze Mo herkende, zag ze er opeens klaarwakker uit.

'Kom binnen,' fluisterde ze.

Toen de deur stevig dicht zat, stak ze een olielampje aan. Mo's mond viel open. Om de tafel zaten drie kinderen, aangekleed en wel. Voor de ramen, waarvan de luiken dicht waren, hingen slaapzakken en een tafelkleed. Myrna wees naar een stoel en Mo ging zitten, naast Wouter. Sjoerd was er ook, de Verslaggever. En ook Koentje was wakker.

'Ik dacht dat de Draak-onders kwamen!' fluisterde hij.

Wouter stond plotseling op, zijn stoel viel om.

'Dit dus niet!' zei hij. 'Het was gezellig, vrienden, maar ik peer hem. Tijd om op huis aan te gaan.' Hij keek Mo niet aan.

'Doe niet zo raar,' zei Myrna. 'Je hebt niet eens een huis. Je kunt Mo echt wel vertrouwen, hoor.'

'Natuurlijk,' zei Wouter. 'Natuurlijk kunnen we hem vertrouwen, de persoonlijke Koerier van de Draak.' Hij keek Mo uitdagend aan.

Mo grinnikte.

'Marnix de Draak. Weet je zeker dat hij niet trots zou zijn op die naam?'

Hij voelde zich ineens ontzettend opgelucht. Hij stónd er niet alleen voor. Dit waren vrienden! Hij pakte het eerste het beste glas en nam een grote slok citroenlimonade – ook al had Meral haar werk in de steek gelaten, er waren nog meer limonadeverkopers op Drakeneiland.

Het kwam niet bij hem op zich te verdedigen tegen Wouters verdenking. Volgens zijn gewoonte wachtte hij af wat de anderen zouden zeggen. Na een tijdje merkte hij dat de

Nieuwsjager hem stond op te nemen. Afwachtend.

'Wat wil je dat ik zeg?' vroeg Mo. 'Je vertrouwt me, of je vertrouwt me niet.'

'Verduizend!' Wouter liet zich weer op zijn stoel vallen. 'Het is dat ik weet dat je de beste vriend van Ewout was…'

'Precies,' zei Myrna, alsof dat Mo's goede trouw bewees. 'En Koerier of niet, hij had toch geen keus. We hebben geen van allen een keus. Jij niet toen hij jou ontsloeg…'

'Wat!' riep Mo uit. 'Is Wouter ontslagen?'

'Uit mijn ambt ontheven, zoals Pjotr het noemde. Door de nieuwe Parlevinkers, die allemaal precies doen wat de Draak wil.' Wouter zuchtte. 'Eerst mijn huis, toen mijn baan.'

'Eigen schuld,' zei Myrna. 'Koentje zei dat je gillend en krijsend aan kwam zetten. "Liam is opgepakt, Liam is opgepakt!" Terwijl de Draak er vlak naast zat. En dat wist je.'

'Het vrije woord is toch heilig,' zei Wouter. 'Dat is op Drakeneiland tenminste altijd zo geweest. Heilig en veilig.'

'Niks is meer veilig, geloof ik,' mompelde Mo.

'En nou is die kelderrat van een Gerrit de baas van de krant,' raasde Wouter. 'Míjn krant! Míjn *Tamtam*! Die ik heb groot gemaakt!'

'Nou…' zei Sjoerd.

'Gerrit?' vroeg Mo verbaasd. 'Is die nu Nieuwsjager? Ik dacht dat hij Parlevinker was.'

'Hij doet het erbij,' zei Sjoerd somber. 'Alsof je een krant er zomaar even bij kan doen. En ik moet zijn vuile klusjes opknappen. Morgen moet ik een stukje inleveren over de rechtszaak tegen Pierre. Die is aangeklaagd omdat hij zijn rode T-shirts niet wilde inleveren. Ze hebben hem zijn shirts natuurlijk tóch afgepakt. Pierre is veroordeeld tot twee weken stenen rapen. En weet je wat? Die rechtszaak is er helemaal niet geweest. Hoe kan dat ook, zonder Liam? Maar ik moet er wél een stukje over schrijven. En doen alsof Liam gewoon in functie is. Terwijl ik zeker weet, zéker weet dat ze Liam ergens hebben opgesloten.' Sjoerds stem sloeg over.

'Ssst!' zei Myrna geschrokken.

'In het Honderd Meter Diepe Hol,' zei Koentje. 'Daar krijg je alleen water en rauwe vis. En je mag er nooit meer uit.'

Mo keek hem vragend aan.

'Dat zegt Niels,' zei Koentje. 'En Niels is zelf een Draak-onder. Dus. Maar mij doet hij niks, want we zijn vrienden en hij heeft het gezworen.'

Mo glimlachte naar hem. Toen keek hij van de een naar de ander. Nee, hij was niet alleen. Maar wat konden ze doen?

'Waar zit Liam dan?' vroeg hij.

Wouter schudde zijn hoofd.

'Sjoerd heeft een van die Dragonders uitgehoord. Meral, die vindt hem nogal leuk, hè Sjoerd? In ieder geval, dat ze Liam hebben gepakt, staat vast. We weten alleen niet waar dat Hol is – áls het bestaat. Voor hetzelfde geld hebben ze onze Schout in zee gesmeten.'

'Overdrijf niet zo,' suste Myrna. 'We vinden hem echt wel.'

'Hoe dan?' vroeg Wouter.

De olielamp sputterde en ging uit.

'Tijd om te gaan slapen,' zei Myrna. 'Trek maar een slaapzak van het raam, Sjoerd. Koentje kan bij mij in bed, dan mag Wouter met zijn dikke kont in het andere bed.'

Er klonk gestommel. Mo was ook wel graag gebleven. Maar hij werd niet uitgenodigd, en eigenlijk woonde hij ook vlakbij. Struikelend en tastend ging hij naar de deur.

Maar voor hij naar buiten ging, zei hij: 'Laat mij maar. Ik heb me niet voor niks laten benoemen tot Koerier van de Draak. Morgenavond ben ik erachter wat ze met Liam en Mark hebben gedaan.'

'Ik help het je hopen, Sint Joris,' bromde Wouter ergens in het donker.

De zaak-Moon

Op voorstel van Sjoerd maakten ze er hun wachtwoord van: alleen wie over Sint Joris, de beroemdste Drakendoder aller tijden, begon, was te vertrouwen. Ze konden niet openlijk bij elkaar komen, en briefjes sturen ging ook niet, omdat Meral zonder bedenkingen alles openmaakte. Maar Mo kon zonder argwaan te wekken bij elk huis aankloppen, en Myrna, Sjoerd en Wouter gaven hem mondeling boodschappen door.

Steeds meer kinderen lieten zich inlijven bij de Dragonders, vooral uit Akropolis. Daar waren nogal wat kinderen jaloers op de bewoners van de Holte. De Holte lag hoog, het was er lekker koel en er was bovendien een meertje, de Koude Plas, dat als zwembad diende. Er werd beweerd dat de Holtenaren elkaar baantjes toespeelden. En dat Moon, de Schatkistbewaarder die zelf ook in de Holte woonde, meer spieën uitdeelde aan haar buren dan aan de andere eilandbewoners.

Nu was Moon, het rekenwonder met de wilde krullenbos, uit haar baan gezet. Ze was aangeklaagd en zou die dag voor de Schout komen.

Er was een nieuwe Schout. Benoemd door Pjotr. Dat druiste in tegen de Vierde Wet, waarin stond dat de Schout voor de hele zomer werd gekozen. Maar Marnix zei: 'Nood breekt wetten. En dit is een noodgeval, want Liam is onvindbaar.'

Het kostte Mo, die toevallig in de buurt was, héél veel moeite om zijn mond te houden. Want wie zijn schuld was het nou eigenlijk dat Liam zoek was?!

De nieuwe Schout was Kaj, op wie Mo nog gestemd had. Kaj was een vriendelijke jongen, een beetje lui misschien. Hij was naar Drakeneiland gestuurd omdat hij drie van de vijf dagen spijbelde. Maar als Schout was hij volkomen ongeschikt.

'Hij doet wat ik zeg,' grijnsde Marnix. 'Dat is het belangrijkste.'

En dat bleek wel toen Moon terechtstond.

'Het is bewezen,' zei de Aanklager, 'dat jij spieën uit de Schatkist achterover hebt gedrukt en aan je vriendjes in de Holte hebt gegeven. Je boekhouding klopt voor geen meter.'

'O nee?' vroeg Moon strijdbaar. 'Laat dan eens zien waar ik fouten heb gemaakt? Ik heb alles wel drie keer nagerekend. Alleen van de laatste dagen klopt niets meer. Jullie hebben de belasting verlaagd en vóór betaaldag spieën uitgedeeld aan de Dragonders. De Schatkist is bijna leeg. Maar dat is mijn schuld niet.'

'Het is onderzocht,' zei Kaj.

'O ja? Door wie dan? Waar is mijn kasboekje?'

'Dat heeft Jeroen,' zei de Aanklager. 'Er blijkt duidelijk uit dat jij spieën aan je vriendjes gaf.'

'Laat zien dan!' zei Moon boos. 'Bewijs het dan!'

Kaj tilde loom zijn hand op.

'Als de Aanklager het zegt, zal het wel kloppen. Doe nou niet zo moeilijk, Moon. Leg je er nou maar bij neer.'

'Er zijn niet eens getuigen!' riep Moon. 'En waarom heb ik niemand die mij verdedigt?'

'Er was niemand te vinden die jou wílde verdedigen,' zei Marnix met een gemeen lachje. 'Je hebt het bij iedereen verpest. En nou oprotten. Je wordt veroordeeld tot drie weken stenen rapen. En met Astalabiesta moet je van Drakeneiland af.'

'Omdat jij het zegt, zeker!' gilde Moon. Ze was razend. 'Je bent de Schout niet!'

'Maar ik ben het met Marnix eens,' zei Kaj. 'Stenen rapen tot Astalabiesta. Zaak gesloten.' Hij trok de blauwe toga over zijn hoofd. 'Ik stik in dat ding. Laten we een pizza gaan eten.'

Marnix, Kaj en Jeroen liepen gebroederlijk naar het terras van de bakkerij en bestelden pizza's. Intussen pakten twee Dragonders Moon beet en sleurden haar weg van het plein.

Mo vroeg zich af wat ze toch bedoelden met stenen rapen. Wat voor stenen, waarvoor? Of was het gewoon een of andere zinloze straf?

Het gekste vond hij nog dat de Drakeneilanders het gewoon lieten gebeuren. Niemand leek veel aandacht aan Moons veroordeling te besteden.

'Ze zal het wel te bont gemaakt hebben,' zei Fouad, die het plein verliet met Jakko, de Geitenhoeder. 'Die lui in de Holte denken dat ze alles maar kunnen maken.'

'Goed dat iemand de boel nu eens regelt,' knikte Jakko. 'Die Marnix weet van aanpakken.' Toen holde hij achter zijn kudde aan.

Mo had zich uit zijn boom laten glijden – de Schout had er niet aan gedacht hem het vonnis te laten bekrachtigen. Hij pakte een fiets, hing zijn posttas erover en reed rustig het plein af. Maar hij nam niet zijn gewone postroute. Hij nam de weg waarlangs de Dragonders Moon hadden meegenomen. Hij moest meer te weten zien te komen over de straffen die Marnix en zijn vrienden uitdeelden. Misschien vond hij dat Honderd Meter Diepe Hol ook wel.

Hij volgde het pad dat tussen de heuvels door liep naar de Koude Plas. Voor hem uit draafden de Dragonders. Met hun stokken porden ze Moon in haar rug om haar te laten opschieten. Een eind voor het meertje sloegen ze linksaf en gingen ze over een geitenpaadje het kaalste deel van de Kale Heuvels in. Ze liepen nu langzamer; Mo verborg zijn fiets achter een grote steen en sloop hen achterna. Ergens voor hem klonk geschreeuw, gevloek, gescheld. Mo verliet het pad en kroop tegen een heuvel op. Voorzichtig loerde hij over de top heen het dal in.

Daar waren ze, de kinderen die hij had gemist. Wendel... Marisol... Dana... Pierre, Mark, en nu ook Moon. Ze sjouwden met zware keien, die ze opstapelden in de vorm van een ronde muur. Een soort fort leek het wel. Een stuk of zes Dragonders stonden erbij, hun knuppels dreigend over hun schouder, ze schreeuwden dat de gevangen kinderen door moesten werken. De zon brandde, er was geen zuchtje wind en nergens water. Mo kreeg al dorst als hij naar ze keek. Dus dit was stenen rapen.

Alleen Liam was er niet bij. En Mo zag geen spoor van een Honderd Meter Diep Hol.

'Verdrie,' zei Meral. 'Deze moet ik aangeven.' Ze stond over de posttafel geleund een brief te lezen. Mo kwam zo onverschillig als hij kon dichterbij. Hij háátte het om brieven te lezen die niet voor hem bestemd waren! Hij haatte het, omdat het zo onweerstaanbaar was. Als zo'n brief eenmaal open was, kon je je niet bedwingen om hem te lezen, ook al zag je meteen dat hij vertrouwelijk was.

'Van wie komt hij?' vroeg Mo. Hij pakte Meral de brief af. Dat was het voordeel als je Koerier van de Draak was; niemand durfde tegen te sputteren.

De brief was van Jonathan, de Vlootvoogd. Hij was gericht aan Stijn, die het magazijn beheerde. Mo kende Stijn niet zo goed, omdat hij weinig post kreeg. Hij woonde en werkte in de opslagplaats die nogal afgelegen in de

Groene Heuvels, ten oosten van de haven lag. Stijn bewaakte de spullen die eens per maand van het vasteland werden aangevoerd: olie, batterijen, bonen, fietsbanden, suiker, zaklampen, meel… En hij paste op de mobieltjes, de zakcomputertjes en de muziekspelers die de kinderen bij aankomst hadden moeten inleveren. Bovendien beheerde hij de radio, de enige verbinding met het vasteland. Als je er goed over nadacht, was de Magazijnmeester een van de belangrijkste figuren op Drakeneiland. Mo wist niet dat hij en Jonathan vrienden waren. Er waren dus ook dingen die hij níet wist.

Jonathan schreef over zijn lievelingsboot, de reddingsboot, die niet de grootste, maar wel de snelste was. Hij mopperde dat een paar kinderen de rubberboot op verkiezingsdag zonder vragen hadden meegenomen, en sindsdien haperde de motor. Hij had een onderdeel nodig en vroeg of Stijn dat kon leveren. Gewoon een huis-tuin-en-keukenbrief. Maar aan het eind noemde hij de zaak-Moon.

Mijn jongmaatje Harbert was erbij toen Moon veroordeeld werd. Om niks. Om iets wat ze niet gedaan heeft. De nieuwe Schout is een lachertje, die doet alles wat de Draak zegt. Ik moet ook voorkomen. Alleen omdat ik weigerde het Manchester United-shirt in te leveren dat mijn pa voor me meenam toen hij de laatste keer bij ons was.

Pas goed op je sleutels, Stijn. Het zou me niks verbazen als er een stel van die rooie ruignekken komt opdraven om ze van je af te pakken. Echt iets voor de Draak om bovenop de voorraden te gaan zitten! En ons recht kunnen we niet meer halen…

Mo propte de brief in zijn zak.

'Wat doe je?' vroeg Meral wantrouwend toen hij de deur uit liep.

'Het rapporteren, wat anders?' zei Mo. 'Dit moet Marnix meteen weten.'

Marnix de Eerste

Maar Mo fietste niet naar het huis van de Aanklager. Hij ging regelrecht naar het magazijn en bezorgde Stijn de brief. Daarna reed hij langs de kust terug. Bij de haven stapte hij af. Aan het eind van de pier zat Jonathan bij zijn vlaggenschip. Deze boot en de reddingsboot hadden een buitenboordmotor; de andere hadden alleen roeiriemen. De Vlootvoogd had de motor op de steiger getrokken en was bezig eraan te prutsen.

'Sint Joris,' zei Mo toen hij vlakbij was. Ze waren hier veilig; ze konden niet gehoord worden door iemand op de wal.

'Als ik nou die kering hier uithaal en hem gebruik voor de reddingsboot...' mompelde Jonathan.

'Sint Joris,' herhaalde Mo. 'Dat is het wachtwoord. Iedereen die Marnix weg wil hebben, kent het. We zijn machteloos zolang ze Liam hebben, maar daar wordt aan gewerkt.'

'O,' zei Jonathan, die zich alleen maar opwond als er iets met zijn boten was. 'Ik dacht al dat ik de enige was. Maar er zijn er dus meer?'

'Wouter en Myrna en Sjoerd,' knikte Mo. 'En Mark en Wendel en Moon en Marisol, maar die zijn in de Kale Heuvels. Daar moeten ze hele dag stenen sjouwen.'

'Dwangarbeid,' zei Jonathan. Hij bleef onverstoorbaar aan zijn motor prutsen.

'Ik denk dat Renée ook wel te vertrouwen is,' ging Mo verder, 'maar dat weet ik nog niet zeker.'

'Ik dacht eigenlijk dat jij dikke maatjes was met Marnix,' zei Jonathan.

'Dat denkt híj ook. Hij laat mij alle post openmaken. Ik

heb jouw brief aan Stijn gelezen – zo wist ik het.'

'Dus het wachtwoord is Sint Joris?' vroeg Jonathan. 'Sint Joris en de Draak – ik snap het.'

'Van wie heb je die naam?' vroeg Mo opeens. 'Marnix de Draak?' Hij had hem zelf pas de vorige avond gehoord.

'Van Luilebal, je weet wel, die kwabbige kunstenaar uit de Diepte. Maar Pierre heeft het verzonnen.'

'Dus misschien staat Luilebal ook aan onze kant?' vroeg Mo.

'Dat denk ik wel,' zei de Vlootvoogd. 'Marnix heeft een standbeeld van zichzelf besteld. Een standbeeld, hoe verzint hij het! Luilebal durfde niet te weigeren – hij staat op overkoken. Hij zei dat hij de hele dag in de Parelbaai ging zwemmen om af te koelen. Is er een plan?'

'Nog niet,' zei Mo, 'maar ik ben ontzettend blij dat jij met ons meedoet.'

'Reken daar maar op. Ik en mijn hele vloot,' knikte Jonathan.

Mo was er nog steeds niet achter waar het Honderd Meter Diepe Hol kon zijn, toen hij opdracht kreeg de klok te laten beieren in het ritme dat betekende dat alle Drakeneilanders naar het centrum moesten komen. Het klokgelui droeg heel ver en omdat Akropolis zo hoog gelegen was, kon je het overal op het eiland horen.

Op de stenen bankjes aan de voet van de eik hadden de Parlevinkers plaatsgenomen. Daaromheen hield een rij Dragonders de wacht, knuppels aan hun voet. En daar weer omheen verzamelden zich de bewoners. Als laatste kwam Luilebal aanfietsen, zijn haar nog nat. Mo grinnikte. De Parelbaai was een heel eind weg, maar Luilebal ging uitsluitend daar zwemmen, omdat hij zich schaamde voor zijn dikke bleke lijf.

Mo dacht dat alle kinderen er moesten zijn, op de dwangarbeiders na. Alleen Renée zag hij nergens. Maar uit de schoorsteen van de bakkerij kwam rook. Waarschijnlijk was ze aan het werk. Mo hoopte dat ze daar geen last mee zou krijgen.

Toen het bomvol stond op het plein, gaf Marnix de Klokkenluider een teken dat hij de bijeenkomst moest openen. Mo gaf een ruk aan zijn klokkentouw en hield de klepel meteen daarna stil.

'Het woord is aan de VP!' riep Jeroen.

Waarom hij? dacht Mo. Sinds wanneer heeft een Koddebeier iets te vertellen in de raad van Parlevinkers?

Pjotr ging staan.

'Inwoners van Drakeneiland! Jullie zijn getuige van een plechtig ogenblik. De Parlevinkers zijn tot het besluit gekomen dat ons eiland een staatshoofd nodig heeft. We konden kiezen tussen een president en een koning. Na lang overleg hebben we gestemd voor een koning.'

Gemompel ging door de rijen. Dragonders keken dreigend achterom.

'Jullie mogen juichen,' zei Pjotr.

Er werd aarzelend gejuicht, vooral door de Dragonders, maar Fouad, Jakko en Kaj deden ook mee.

'Harder,' zei Pjotr.

De Dragonders deelden porren uit aan het publiek. Er werd nu luider geschreeuwd. Mo zag aan de overkant dat Koentje zich losmaakte uit de menigte. Hij rende dwars over het plein, midden tussen de Parlevinkers door, en slingerde zich als een aapje om de onderste tak van de knoestige eik. Mo leunde naar voren en trok hem omhoog.

'Ze sloegen me,' zei Koentje. Hij nestelde zich naast Mo tegen de stam aan.

'En voor de persoon van de koning,' ging Pjotr verder,

'hebben we een geschikte kandidaat gevonden. Iemand die bereid is deze zware taak op zich te nemen. Onze nieuwe Koning is...'

'Marnix!' riep Luilebal uit. Het klonk geschokt, maar Pjotr wenste het als bijval op te vatten.

'Marnix,' herhaalde hij.

Mo kneep zijn ogen dicht. Hoe had hij zo stom kunnen zijn om Marnix aan te spreken met 'majesteit'! Zonder Mo was de Draak nooit op het idee gekomen!

Pjotr wenkte de Aanklager naar voren. Marnix stapte op de grote steen in het midden van de kring. Hij torende met zijn lange lijf boven iedereen uit. Hij moest diep door zijn knieën toen Pjotr hem een kroon opzette, die gemaakt leek van spieën en zaklantaarnlampjes.

Marnix sloeg zijn handen boven zijn hoofd in elkaar en knikte naar alle kanten.

'Het is een zware klus,' zei hij luid. 'Een nare klus. Maar iemand moet het doen. Ik offer me op. Niks te danken. Voor jullie doe ik het graag. Drakeneilanders verdienen het allerbeste. Dé allerbeste.' Hij grijnsde.

'Drie keer hoera voor Marnix de Eerste!' riep Pjotr.

'Hoera! Hoera! Hoera!' bulderden de Dragonders. Niemand anders deed mee.

'Harder!' beval Pjotr. Nu riepen ook de Parlevinkers mee.

'Ik hoor niks!' zei Marnix.

De Dragonders draaiden zich helemaal om naar de toeschouwers en hieven hun knuppels. Deze keer schreeuwden alle Drakeneilanders hoera. Blij klonk het niet.

Marnix friemelde aan een knopje op zijn kroon. De lampjes tussen de koperen staafjes floepten aan. En uit. En aan. Het leek wel een dolgedraaide kerstboom.

'Koning Carnaval,' mompelde Mo.

'Mijn eerste besluit,' zei Marnix de Eerste, 'is dit: vanavond krijgt iedereen gratis pizza!'

Deze keer klonk het juichen meer gemeend.

'Zelf afhalen,' voegde de nieuwe Koning eraan toe, 'want er wordt niet meer aan huis bezorgd.'

Daar lachten nog een paar kinderen om ook. Vonden ze het soms leuk dat Pierre was opgepakt?

Marnix gaf Jeroen een teken. Jeroen gaf zijn Dragonders een teken. Zes van hen marcheerden naar de bakkerij en kwamen terug met bladen volgeladen met oliebollen. Renée, bezweet en roodaangelopen, kwam naar buiten met het laatste blad. Ze begonnen de oliebollen uit te delen. Zelfs Mo in zijn boom kreeg er een, en toen de Dragonders Koentje opmerkten, kreeg die ook.

'Ze zijn toch wel lief,' zei Koentje.

'Geloof het maar niet,' bromde Mo. Maar zelfs Koentje verstond hem niet.

Mo verkruimelde zijn oliebol voor de duiven die bovenin een nest hadden. Ze mochten hem tot poedersuiker stampen als hij er één hap van zou eten.

'Zonde,' zei Koentje. 'Had hem dan aan mij gegeven!'

De morgen van de messen

Toen Mo wakker werd, zei hij tegen Ewout: 'Zullen we vanmiddag gaan vissen? In het Meer van Glas bijten ze altijd...' Hij hield abrupt zijn mond. Ewout was er helemaal niet. Het andere bed was al meer dan een week leeg. Zijn vriend was vertrokken en Drakeneiland was in de greep van een tiran.

Hij kreunde boos. Hij had een belofte gebroken: hij was er gisteren niet in geslaagd te ontdekken waar Liam gevangen werd gehouden. Een belofte breken gold vroeger op Drakeneiland als een ernstig vergrijp. Maar nu was alles anders. Regels golden niet meer en je kon niemand meer vertrouwen.

Hij lag nog steeds naar de planken zoldering te staren toen er op de deur werd gebonsd. Hij sprong uit bed en trok haastig een T-shirt over zijn hoofd. Zodra hij de grendel open had geschoven, denderden er twee Dragonders over de drempel. Milo en Fouad – dus die waren nu ook bij de Dragonders.

'Waar is je zakmes?' vroeg Fouad.

Mo draaide zich zwijgend om en pakte zijn broek van de stoel. Zijn mes zat aan een van de lussen. Hij prutste het er langzaam af. Het was een echt Zwitsers zakmes en het was heel erg duur geweest. Zijn opa had het voor hem gekocht toen ze op vakantie bij familie waren, niet op de markt, waar ze alleen maar namaak verkochten, maar echt in een winkel. Ewout en hij hadden zijn mes gebruikt als ze gingen vissen, want het was veel beter dan Ewouts mes.

'Schiet een beetje op!' zei Fouad.

Mo keek hem niet aan toen hij hem het zakmes aanreik-te. Naar het mes wilde hij ook niet meer kijken. Het was té erg.

De Dragonders vertrokken en even later hoorde Mo ze op het volgende huisje bonken.

Mo raapte het brood van de veranda. De bezorging van brood ging tenminste nog gewoon door. Daarna liep hij naar het washok om te plassen. Koentje stapte juist met natte haren uit een douchehokje.

'Ik weet wat,' zei Mo tegen hem. 'Wil jij mijn hulpje wor-den? Ik heb iemand nodig die ik kan vertrouwen. Dan kun je ook bij mij slapen.'

'Waarom?' vroeg Koentje.

Mo bloosde. Hij kon zo'n kleine jongen toch niet vertel-len dat hij eenzaam was?

'Nou goed dan,' zei Koentje toen Mo geen antwoord gaf. 'Als je niet slaat.'

'Natuurlijk niet. Dat doen we hier niet op...' Mo maakte zijn zin niet af.

'De Draak-onders meppen anders de hele tijd,' zei Koen-tje. 'Ze hebben Myrna geslagen omdat ze haar mes niet wilde afgeven.'

Mo schrok. Met Koentje achter zich aan rende hij naar Myrna's huis. Ze zat met een papieren zakdoekje tegen haar lip – het zag rood van het bloed.

'Het hoeft toch niet gehecht te worden?' vroeg Mo bezorgd. 'Dan moet je van het eiland af.'

Myrna schudde haar hoofd.

'Alleen een tand door mijn lip,' zei ze. 'Die rotzakken! Nu heb ik er écht genoeg van.'

Wouter kwam aanlopen met een kan geitenmelk en ging naar binnen om ontbijt te maken. Kennelijk bivakkeerde hij nog steeds bij Myrna.

'Vind je het goed dat Koentje bij mij komt wonen?' vroeg Mo. 'Dan hebben jij en Wouter meer ruimte.'

Myrna vond het best. Ze spraken af dat ze die middag een geheime vergadering zouden houden.

'Op de steiger is een goede plek,' zei Mo. 'Daar kan niemand je ongezien afluisteren.'

'Maar Jonathan dan? Híj hoort toch niet bij de getrouwen van Sint Joris?' vroeg Wouter. Hij had een melksnor en zag er even niet zo samenzweerderig uit.

'Jawel. We mogen op hem rekenen, én op zijn hele vloot.'

Myrna en Wouter knikten. Meer konden ze niet doen, want er naderde een colonne Dragonders. In draf liepen ze het dorp uit in de richting van de haven.

Mo schrok: ze gingen Jonathan toch niet oppakken? Maar hij zag geen kans daarachter te komen. Als Koerier van de Koning moest hij nu eenmaal zijn werk doen...

Toen Mo het plein overstak om naar het postkantoor te gaan, werd hij gewenkt door Marnix, die breeduit op een van de terrasjes zat met een bakje olijven en een glas sinaasappelsap. Twee Dragonders stonden achter hem in de schaduw van de dakrand.

Marnix beduidde Mo te gaan zitten en knipte met zijn vingers naar de waardin. Hester kwam meteen.

'Dat sap is niet vers,' zei Marnix bazig. Hij pakte het glas en keerde het om boven de grond. Oranje spetters landden op Hesters voeten.

'Breng me vers sap.'

'Sorry Marnix,' zei Hester.

Marnix keek haar doordringend aan.

'Majesteit bedoel ik. Sorry Majesteit. Maar er is geen vers sap te krijgen. Milo de Perser is gisteren bij de Dragonders gegaan. En hij was de laatste. Er is nog wel citroenlimonade. Zal ik je een glas citroenlimonade brengen?'

'Nee,' zei Marnix. 'Ik wil sinaasappelsap. Zie maar hoe je eraan komt. En gauw.'

Hester knikte en deed haar schort af. Even later zag Mo haar wegfietsen in de richting van de boomgaarden.

'Luister, Koerier,' zei de nieuwe Koning. 'Per vandaag worden alle beslissingen door mij genomen. De Parlevinkers parlevinken maar raak, zo lang ze doen wat ik zeg. Daar zorgen mijn Dragonders wel voor. Maar ik wil dat jij het bericht verspreidt dat de Parlevinkers dat zelf zo willen. Natuurlijk komt het ook in de *Tamtam*, maar ze geloven het eerder uit jouw mond. Jij komt overal, je kunt het gewoon tussen neus en lippen laten vallen: "De Parlevinkers zijn blij dat ze het regeren aan de Koning kunnen overlaten," zoiets. En o ja, zeg er meteen bij dat iedereen die zich vanochtend aanmeldt voor de Dragonders zijn zakmes terug kan krijgen.'

'Komt in orde… Majesteit,' zei Mo. Hij slikte. Zou zijn zakmes nu in andere handen vallen?

'Je gaat toch niet kotsen of zo?' vroeg Marnix.

Mo herstelde zich.

'Nee Majesteit. Zodra ik de post klaar heb, begin ik aan mijn ronde. Gelukkig heb ik een assistent gevonden.'

Maar dat interesseerde Marnix niet.

'Ga eens kijken waar mijn sap blijft!' beval hij zijn lijfwachten.

Mo deed wat er van hem verwacht werd. Aan het eind van de ochtend hadden zich nog twaalf nieuwe Dragonders aangemeld.

Maar onder hen was één getrouwe van Sint Joris. En Mo wist wie dat was.

Dodeneiland

Een buitenstaander zou kunnen denken dat er toevallig een stel kinderen tegelijk aan het eind van de steiger rondhing. Mo stond op de punt, met zijn hengel. Van tijd tot tijd gooide hij de lijn opnieuw uit. Jonathan verfde een van de roeiboten. Luilebal lag met zijn handen onder zijn hoofd naar de wolken te staren. Een stukje dichter bij de wal leerde Stijn Koentje hoe hij steentjes moest keilen. Sjoerd lag in zee op zijn luchtbed te dobberen. Wouter was daar dichtbij aan het zwemmen, hij probeerde Renée onder te duwen en Myrna probeerde hém onder te duwen.

Er kon niets verdachts aan de hand zijn, want er was een Dragonder bij. Losbol, Luilebals beste vriend en tot gisteren Schilder, stond naast Mo te vissen in zijn nieuwe rode T-shirt...

Ze bevonden zich allemaal nét binnen elkaars gehoorsafstand. Af en toe moest iemand iets herhalen omdat er een golf tegen de steiger uiteenspatte of omdat de reddingsboot loeiend voorbijkwam. Maar dat hadden ze er graag voor over.

De reddingsboot werd bestuurd door de Koning zelf. Tot woede van Jonathan was zijn lieveling die ochtend in beslag genomen door een groepje Dragonders. De Vlootvoogd had machteloos moeten toezien hoe ze de sleutel van de haak namen in het havenkantoortje en alle voorradige diesel inpikten. Nu was Marnix lekker met de rubberboot aan het scheuren. Gewoon voor de lol. Wat Jonathan zichzélf nooit had toegestaan.

Briesend, maar op gedempte toon, zei Jonathan: 'Nu is

het echt afgelopen. Dit pik ik dus niet meer. Straks verdrinkt er nog iemand omdat die malloot met zijn gespeel de diesel heeft opgemaakt.'

'En als er iemand gewond raakt,' zei Mo, 'dan kan die niet naar de wal worden gebracht. Die Dragonders gaan tekeer! Myrna had vanmorgen een bloedlip. Dat had makkelijk erger kunnen zijn.'

'Morgen is er niet voor iedereen brood,' zei Renée. 'Al mijn assistenten zijn weggelopen om in een rood shirt met een knuppel te gaan zwaaien. Ik kan in mijn eentje nooit genoeg bakken. En dan wil de Draak ook nog drie keer per dag verse oliebollen.'

'Ik hoop dat hij erin stikt,' mopperde Sjoerd. 'Ik moest vandaag opschrijven dat de Parlevinkers met liefde alle beslissingen aan de Koning overlaten, omdat niemand kan twijfelen aan de wijsheid van Marnix de Eerste.'

'En daar wordt dan dure drukinkt aan verspild,' zei Wouter.

'O ja, Jonathan,' zei Sjoerd. 'Dat vergat ik nog bijna. Er staat morgen ook in de krant dat jij veroordeeld bent tot stenen rapen.'

'Wat!' riepen Jonathan en Wouter tegelijk.

'Is er dan weer een rechtszaak geweest?' vroeg Myrna.

'Welnee,' zei Sjoerd. 'Die moeite nemen ze niet eens meer. Je weet toch dat de Aanklager tegenwoordig Koning is? Kaj hangt liever op een terrasje. En mij gebruiken ze om hun leugens te drukken.'

'Het liefst zou ik de hele drukpers opblazen!' riep Wouter.

'Laten we praktisch blijven,' zei Myrna. 'Als we Marnix op zijn nummer hebben gezet, moet er nog wel wat van Drakeneiland over zijn. Trouwens, we hebben helemaal geen springstof of zoiets.'

'Willen we wel geweld gebruiken?' vroeg Mo voorzichtig. 'Ten eerste hebben zíj alle wapens en bovendien... nou ja.' Hij keek gauw weer naar zijn hengel; hij werd verlegen omdat ze hem allemaal aankeken.

'Mo heeft gelijk,' zei Renée toen. 'Als we gaan vechten zijn we net zo erg als zíj.' Ze keek Jonathan aan. 'Als ze je komen halen, zullen we je verdedigen,' zei ze. 'Maar misschien kun je beter onderduiken.'

'Ja, en nog wat,' zei Stijn. 'We moeten zorgen dat ze niet bij de voorraden kunnen. Het is al geen doen zo – ze komen om de haverklap spullen halen waar ze geen recht op hebben. Zonder te betalen natuurlijk. Ik doe mijn best om ze tegen te houden, maar vroeg of laat komt Marnix de sleutel opeisen. En wat doe ik in mijn eentje tegen een horde van die roodhemden?'

'Je moet hulp hebben,' zei Losbol. 'Ik zorg wel dat ik als bewaker bij het magazijn kom. Dan kan ik je helpen als ze je overvallen.'

'Waarom verstop jij je niet tussen de meelzakken?' vroeg Renée aan Jonathan. 'Dan kun jij ook helpen als ze komen.'

'Hé!' zei Mo. Weer keken ze allemaal naar hem, maar hij moest toch zeggen wat hem ingevallen was. 'Wat Stijn zegt over de voorraden... Dat is toch... Daar kunnen we toch juist...'

Een sterke windvlaag benam hem de adem. Golven klotsten plotseling wild tegen de palen van de steiger. Wolken joegen langs de hemel. Van het ene moment op het andere stormde het. Mo rolde haastig zijn lijn op. Geholpen door Jonathan, Losbol en Stijn klommen de zwemmers haastig op de kant. Even later begon het te regenen. Met z'n allen holden ze naar de wal. Ze werden bijna van de steiger af geblazen, zo hard waaide het. Een windvlaag rukte Sjoerds luchtbed uit zijn handen; het verdween flapperend en buitelend over de zee. De regen werd een plensbui.

'Naar het kantoortje!' riep Jonathan.

Even later stonden ze elkaar lacherig aan te kijken, de een nog natter dan de ander.

'Wie is het mooist?' vroeg Luilebal. Hij trok zijn doorweekte witte T-shirt strak over zijn spektietjes. En toen probeerde Wouter natuurlijk hetzelfde bij de meisjes te doen.

Mo deed niet mee aan het gelach en gestoei. Hij liep Jonathans kantoortje rond. Hij was hier nog nooit geweest. Aan de wand hing een kaart van Drakeneiland, waarop alle zeestromingen, ondiepten, klippen en zandbanken stonden aangegeven. Kijk, daar links was de Drakenkop. Over hele stukken van de Verboden Kust, waar ze niet mochten komen omdat het drijfzand er levensgevaarlijk was, had iemand met rode stift dikke strepen gezet. Ten noorden daarvan lag een eilandje in zee. Dodeneiland heette het...

Eindelijk! Nu kon hij zijn belofte nakomen! Mo draaide zich om en wenkte Jonathan. Terwijl de anderen zich nog met veel gedoe stonden af te drogen, vroeg hij: 'Dat eilandje, Dodeneiland. Kun je daar met een boot komen?'

Jonathan knikte en tikte op de kaart.

'Met een motorboot wel, maar probeer er niet heen te roeien, laat staan te zwemmen. Er staat een heel sterke stroming. Zie je die pijlen? Met eb loopt die stroming van de Parelbaai naar Dodeneiland, en met vloed keert hij om. Dan is het bijna onmogelijk om naar het eiland te varen. Maar met eb is het te doen. Je moet alleen uitkijken bij het aanleggen. Het is nogal rotsachtig daar.'

'En...' Mo aarzelde. Als hij nu eens ongelijk had? Maar nee, hij had heel Drakeneiland afgezocht. Dit móést het zijn. 'Jij miste toch een boot op verkiezingsdag? Wie waren de kinderen die daarmee weggingen?'

'Als ik dat gezien had, had ik ze wel tegengehouden,' zei de Vlootvoogd. 'Maar toen ze terugkwamen, zag ik ze uit de verte. Wendel was erbij, en Marisol en Jeroen. Dat vond ik nog zo gek, dat die zonder vragen een boot hadden genomen. Dana geloof ik... Pjotr, die ze nu VP noemen, was er ook bij. En nog een nieuwe die ik niet kende. Hoezo?'

Mo keek hem indringend aan.

'Was het eb of vloed toen?'

Jonathans gezicht verhelderde.

'Aha! Het tij was aan het keren, het was net eb geweest... Dus je denkt dat ze naar Dodeneiland zijn gevaren!'

Mo knikte.

'Ja. En ik denk bovendien... ik weet zéker dat ze Liam daar hebben achtergelaten.'

Het plan van de getrouwen

Jonathan slaakte een brul. Alle kinderen hielden op met keten en keken hem verbaasd aan.

'We weten het! We weten waar ze onze Schout hebben gelaten! We hebben Liam gevonden!'

Het duurde even voordat ze allemaal begrepen hadden wat er gebeurd moest zijn: de gevaarlijke stroming, de gepikte boot, het moeilijk bereikbare eilandje. Wendel en Marisol en Dana die wél waren teruggekeerd, onder de hoede van Pjotr en waarschijnlijk Jeroen. Die onderweg pruimen hadden gegeten waar ze later verschrikkelijke buikloop van hadden gekregen.

En Liam, die nu al dagen eenzaam op dat kleine eilandje zat, zonder boot, met alleen de woedende branding die tegen de rotsen sloeg, en het krijsen van de meeuwen.

'Ik hoop dat hij iets te eten heeft,' bromde Renée.

'Alleen rauwe vis denk ik,' zei Koentje.

Ze zaten er verslagen bij, op de natte vloer. Maar Wouter zei opeens: 'Wat zitten jullie nou te simmen! We hebben de andere motorboot toch nog! En we hebben de Vlootvoogd aan onze kant. We hoeven Liam alleen maar op te halen. Laten we meteen maar gaan.'

Jonathan wierp een blik naar buiten.

'Niet nu,' zei hij, 'het is vloed. We moeten wachten tot het eb wordt. En dan wordt het snel donker. Dat vind ik te link – voor je het weet, slaan we op de rotsen te pletter.'

'Morgenvroeg dan,' zei Wouter. 'Meteen als het licht wordt.'

Dat vonden ze allemaal een goed plan. Opgewonden

begonnen ze erover te kibbelen wie mee mocht. Renée niet, want die moest 's ochtends brood bakken. Losbol niet, want die zou met Stijn het magazijn bewaken. Mo niet, want dat zou Marnix meteen merken. Maar Wouter zat zonder werk, en Myrna zou ook niet snel gemist worden.

Het sprak vanzelf dat Jonathan de reddingsoperatie zou leiden. Om te beginnen moest hij ongezien een nieuwe voorraad diesel uit het magazijn zien te smokkelen. Stijn en hij begonnen meteen te bespreken hoe ze dat zouden aanpakken.

Mo zat er stilletjes bij. Ze leken allemaal zo vol zelfvertrouwen. Nu al blij om Liams bevrijding. Maar ze keken niet vooruit. Want wat als ze met Liam aan land kwamen? De Dragonders waren inmiddels met zóveel... En behalve met katapulten en knuppels waren ze nu ook nog bewapend met messen, terwijl de anderen weerloos waren. De Dragonders zouden Liam meteen opnieuw pakken en hem en al zijn helpers stenen laten slepen in de Kale Heuvels... Mooie bevrijding!

Het duurde voor Mo's gevoel een hele tijd voordat Luilebal vroeg: 'Sorry jongens, ik wil de lol niet verpesten, maar... Wat doen we eigenlijk daarna? Als Liam terug is op Drakeneiland?'

'Dat zien we dán toch wel weer,' vond Wouter. Maar Renée, Sjoerd en Myrna staarden Luilebal aan zonder iets te zeggen.

'Inderdaad,' zei Losbol. 'Mijn bleke vriend heeft daar een punt.' Hij toverde een stel snoepjes uit zijn oranje kroeshaar en deelde ze uit. 'Misschien moeten we nog héél even nadenken.'

Ze dachten na, sabbelend op de citroenzuurtjes die Meral nog had gemaakt. Ze waren al een paar dagen niet meer te krijgen; Marnix had de laatste voorraad ingepikt.

Maar Losbol was vroeger zakkenroller geweest.

'Denk, denk, denk...' zei Koentje. Hij was nog wel echt een klein kind.

Mo hád al nagedacht. Maar hij durfde niet met zijn plan voor de dag te komen. Het was té onzinnig.

Myrna leek als eerste tot bezinning te komen.

'We zijn met te weinig,' zei ze. 'We kunnen het niet van die Dragonders winnen. Tenzij... tenzij we tegelijk de dwangarbeiders bevrijden. Als Mark en Wendel met ons meedoen...'

'En Moon en Marisol,' zei Renée.

'En Pierre,' zei Mo.

'En ik,' zei Koentje.

Mo glimlachte naar hem.

'Jij bent ons geheime wapen,' zei hij. En harder: 'Ik dacht, hè... Als we nou eens...'

Maar tegelijk met hem had Wouter het woord genomen en de anderen keken allemaal Wouter aan. Mo zweeg. Het was toch een raar idee, dat plan van hem.

'Ik ben natuurlijk tegen geweld,' zei Wouter, 'want ik geloof in de macht van het woord. Als ik mijn krant nog had, dan zouden we... hè Sjoerd? Maar ze hebben ons monddood gemaakt. Wat blijft er dan nog over behalve geweld?'

'Vechten – ik weet niet,' zei Renée. 'Ze hebben de sterkste en de gemeenste jongens bij de Dragonders gehaald. Alleen de meisjes laten ze links liggen, en de sulletjes zoals jullie.'

'Hé, hé!' zei Sjoerd verontwaardigd.

'Denk jij nou echt dat we kunnen winnen?' vroeg Renée hem.

'Het komt op de strategie aan,' zei Wouter gewichtig. 'Ja toch, Jonathan?'

Er viel een stilte omdat Jonathan daar geen antwoord op had. En midden in die stilte hoorde Mo zichzelf ineens zeggen: 'Ik weet iets beters.'

Ze keken hem allemaal verbaasd aan. Mo werd meteen weer verlegen. Daarom praatte hij tegen Koentje terwijl hij zei: 'Ik kwam eigenlijk op het idee door Stijn. De voorraden! Zonder de voorraden kunnen de Dragonders geen kant op. Er is al bijna niks te eten omdat er geen vissers en geen olijvenplukkers en geen pizzabezorger meer zijn. En al die nieuwe Dragonders moeten wél eten. We hoeven alleen maar het meel en de olie en de suiker en zo in te pikken. En de batterijen en de vishaken en de netten en – nou ja, alles. Net zolang tot ze honger krijgen. Kijken hoe graag ze dan nog willen vechten!'

Wouter zat hem met open mond aan te staren.

'Geniaal!' zei hij ten slotte. 'Zo klein als hij is!'

'Jawel, maar... hoe verdedigen we het magazijn? Dan moeten we toch nóg vechten?' Stijn was niet overtuigd.

Mo had moed gekregen. Misschien was zijn plan toch zo gek nog niet.

'Niks vechten,' zei hij. 'We halen het leeg. Jij kunt rustig blijven zitten met je voorraadlijsten en we laten Losbol gewoon voor de deur staan, zogenaamd als bewaker. Maar vannacht, nee morgennacht halen we alles weg.'

'En dan?' vroeg Renée ademloos.

'Dan brengen we de hele zwik in Jonathans vlaggenschip naar Dodeneiland,' zei Mo.

De anderen ademden allemaal tegelijk uit.

'Briljant,' zei Wouter. 'Een echte Drakendoder, ook al heb je dan niet zo'n speldje.'

'Wauw, Mo!' riep Myrna.

'Je kunt maar beter vast gaan bakken,' zei Mo met een brede glimlach tegen Renée. 'Want ik denk dat de getrouwen van Sint Joris straks wel blij zullen zijn met een geheim voorraadje brood.'

'Ik help je wel,' zei Luilebal. 'Dat standbeeld van de Draak kan nog wel even wachten.'

'Maar ze kunnen toch niet zonder brood!' riep Renée uit. 'We kunnen die Dragonders toch niet laten verhongeren!'

'We zullen de vijgenbomen voor ze laten staan,' zei Mo.

'En verder,' zei Myrna, 'moet iedereen dan maar een paar dagen rauwe vis eten. Hè Koentje?'

Ze besloten dat ze het plan met de boten nog even zouden uitstellen totdat ze de dwangarbeiders op de hoogte hadden gebracht. Die zouden dan moed houden tot hun bevrijding. En ze spraken af wie het zware werk van het verhuizen van de voorraden op zich zou nemen. Mo liet het zwijgend over zich heen komen. Hij had zijn bijdrage geleverd.

Hij was de enige die merkte dat het droog werd buiten. Maar toen de zon weer ging schijnen, vroeg Koentje dwars door de beraadslagingen heen: 'Zullen we nou naar huis gaan? Ik heb zand in mijn zwembroek.'

Grinnikend braken de getrouwen van Sint Joris de bijeenkomst op. Er was een plan.

Een insluiper

Middenin de nacht werd Mo wakker. Er scharrelde iets in de kamer rond. Een kakkerlak? Hij tilde zijn hoofd op van het kussen en luisterde scherp. Geen kakkerlak; de geluiden waren te hard, de bewegingen te groot. Een muis misschien? Nee, dan hoorde je pootjes roffelen. Hij zette zijn ogen wijd open en spande zich in om alle geluiden precies te kunnen horen. De ademhaling van Koentje in het andere bed. De krekels buiten. In het gebouwtje van de wc's sloeg een deur. Er was weer een windje opgestoken, dat ritselde door de olijfbomen achter het huis...

Plus het gescharrel van een mens. Geschuifel van voeten. Een licht hijgen. Er was iemand in huis!

Mo werd ijskoud vanbinnen. Hij hield zich roerloos. Hij kon schreeuwen, licht maken, boos worden.

En hij kon afwachten. Wie niets deed, kwam meer aan de weet.

Wat kwam die scharrelaar doen? Was het een dief? Mo bezat niets – niet eens meer zijn zakmes. Was het een Dragonder die hem kwam arresteren? Maar Dragonders schreeuwden en bonsden en sloegen. Was het een getrouwe van Sint Joris, op de vlucht voor de Dragonders? Maar die zou hem wakker maken. Dus wie was het?

Mo's hart begon langzaam weer te kloppen, steeds luider, tot het bonsde in zijn oren.

Toen werd hij plotseling verblind. Een zaklamp scheen recht in zijn gezicht. Hij lag te kijk: zijn hoofd luisterend opgetild, zijn hand om het laken geklemd alsof hij uit bed wilde springen – of diep wilde wegkruipen. Hij probeerde om de straal heen te turen, maar die volgde zijn ogen. Het enge was, dat er niets werd gezegd.

Toen verplaatste het licht zich – de drager van de zaklamp liep naar de deur. Even tekende zijn silhouet zich af tegen de bleekblauwe nachthemel. Toen ging de deur dicht. Wie het ook was knipte zijn lantaarn uit en Mo hoorde zijn voetstappen wegsterven in het donker.

'Wat is er?' vroeg Koentje slaperig.

'Niets,' zei Mo. 'Ga maar weer slapen.'

Zelf ging hij ook weer liggen. Het leek hem verstandiger om niets te doen tot de ochtend.

Maar slapen kon hij natuurlijk niet. Hij zag het langzaam, heel langzaam licht worden.

De plof van de *Tamtam* op de veranda maakte Mo wakker. Hij was pas net in slaap gevallen, en voelde zich alsof hij uit een diepe put omhoog moest klauteren. Hij hees zich uit bed en probeerde net zo te doen als anders. Plassen, melk halen, brood snijden, Koentje naar het washok sturen, krant lezen bij het ontbijt. Meteen toen hij uit bed stapte, had hij natuurlijk de hele kamer onderzocht. Maar hij had niets opmerkelijks gezien. Niets dat weg was terwijl het er had horen te zijn. Niets dat er bijgekomen was terwijl het er niet had horen te zijn.

In de krant stonden de leugens die Sjoerd had aangekondigd, maar Mo kon het toch niet laten om ze te lezen. Hij vond nog een nieuwe leugen: Jonathan de Vlootvoogd was wegens hoogverraad en belediging van de Majesteit in het Honderd Meter Diepe Hol gegooid.

'Dat hele Hol bestaat niet eens!' bromde Mo.

Jonathan sliep veilig in een schuilplaats achter stapels zakken meel en bonen, achter in het magazijn. Die verstopplek had Mo gisteravond zelf helpen bouwen.

Maar het was toch gevaarlijk nieuws. Het betekende dat ze Jonathan zonder rechtszaak zouden wegmoffelen als ze hem vonden. Wat de Dragonders betrof was Jonathan al verloren.

'Ik droomde vannacht dat Jeroen bij ons was,' zei Koentje.

'Wie?' mompelde Mo afwezig.

'De Opper, toch? Hij zat aan tafel en dronk limonade, maar het licht mocht niet aan en wij kregen niks. En toen scheen hij jou in je gezicht en toen ging hij weg. Zonder iets te zeggen, heel gek.'

Mo was nu goed wakker.

'Zeg je dat het Jeroen was?'

'Dat zeg ik toch de hele tijd.'

'Hoe weet je dat zo zeker? Het was toch donker.'

'Nou gewoon. Ik rook het.'

'Je róók het?'

'Jeroen stinkt naar tabak. Hij rookt stiekem sigaretjes

achter de bakkerij. Ik heb hem gezien. Maar ik droomde het maar, hoor.'

Mo holde al weg.

'Kom mee assistent! Ik heb je nodig bij het postkantoor!'

Mo liet Koentje helpen met het sorteren van de post. Meral was niet op komen dagen, maar na een half uur kwam er een andere Dragonder voor haar in de plaats. Mo werkte hard door; hij wilde zo snel mogelijk aan zijn ronde beginnen. Nu je op de *Tamtam* niet meer kon vertrouwen, moest je zelf je nieuws vergaren.

Wat had Jeroen 's nachts in zijn huis te zoeken gehad? Dat kon hij het beste aan de weet komen in het leger van de Draak zelf...

Zodra hij even weg kon, liep Mo naar het gebouw van de krant. Marnix zat op de veranda uitgebreid te ontbijten met pannenkoeken en oliebollen. Arme Renée, dacht Mo, die heeft dat allemaal moeten bakken. De kroon lag naast het bord op tafel. Achter Marnix stonden twee Dragonders voor zich uit te staren, de knuppels langs hun schouder als geweren. Aan de andere kant van de tafel wachtte Jeroen zijn opdrachten af. Heel even aarzelde Mo, toen kwam hij toch dichterbij.

'Goedemorgen Majesteit,' zei hij. 'Ik hoop dat het u smaakt. Als ik even mag storen...'

'Je mag pas praten als je iets gevraagd wordt,' zei Marnix met volle mond. 'Jij weet ook niks!'

Mo zweeg.

'En buigen!'

Mo boog.

'En mijn voeten kussen!' Marnix stak een voet naar voren. Zijn tenen staken zwartig uit zijn sandaal. Mo raakte ze heel even met zijn lippen aan. Gatver! Het was geen pretje om een spion te zijn.

'Heb je de post al rondgebracht?'

'Ik wou juist beginnen Majesteit. Ik vroeg me af of er iets speciaals is waar ik op moet letten.'

Marnix knikte.

'Onderduikers.'

Mo keek hem verbaasd aan. Maar hij mocht niks vragen.

'Meral is hem gepeerd. En Jonathan ook, die stommeling die denkt dat hij verstand heeft van boten.'

'Meral!' riep Mo uit. 'Een Dragonder!'

'Ex-Dragonder,' zei Jeroen. 'We hebben de meisjes eruit gegooid. Altijd dat ge-urm en gepiep van "ik moet mijn haar nog doen" en "we kunnen hem toch geen pijn doen." We hebben Dragonders genoeg zónder die aanstelsters'.

'Maar Meral maakte trammelant,' zei de Draak, 'en nu heeft ze zich ergens verstopt. Ik wil dat je erachter komt waar. En degene die haar verborgen houdt, is erbij. Die flik-keren we ook in het Honderd Meter Diepe Hol.'

Mo snoof. Koentje had gelijk: Jeroen stonk naar sigaret-tenrook.

'Wat wil je zeggen met dat gesnuif, Koerier?' vroeg Mar-nix.

'Ik bedoel: net goed, Majesteit. Voor Meral bedoel ik. Ik vertrouwde haar al niet.'

Dat was eigenlijk waar.

Mo zoog lucht naar binnen alsof hij van de tien meter hoge duikplank moest springen. Toen vroeg hij: 'De... de huizen zijn zeker doorzocht vannacht?'

'Natuurlijk,' knikte de Draak.

Mo glimlachte naar Jeroen.

'Ik dacht al dat ik je herkende,' zei hij. 'Ik heb natuurlijk geen alarm geslagen. Ik nam aan dat het voor een goede zaak was.'

Jeroen grijnsde.

'Verstandig,' zei hij. 'Heel verstandig.'

'Hé!' zei Marnix. 'Ik ben er ook nog!'

'Sorry Majesteit.' Mo boog nog maar eens.

'Jij, Koerier. Doe je ronde en kom onmiddellijk verslag uitbrengen. En jij, Opper, ga die twee verraders vangen. Ik wil ze zo snel mogelijk hier zien, allebei. Vóór half twee, want vanmiddag ga ik met de reddingsboot spe... varen bedoel ik.'

'Ja Majesteit,' zei Jeroen. Tegelijk met Mo maakte hij zich uit de voeten. Mo was woedend op hem – wat dacht hij wel, zomaar inbreken! – maar hij probeerde te glimlachen. Het was maar beter goeie maatjes te blijven met de Opperdragonder.

'Je denkt toch niet dat we nou opeens beste vriendjes zijn, hè,' snauwde Jeroen. 'Oorkruiper! Als ik erachter kom dat je Meral helpt – nou!'

Een mes als bewijs

Mo vond Meral niet, maar Meral vond hém. Ze wachtte op hem in de bosjes langs het pad naar de Diepte. Mo fietste voorbij en deed of hij haar niet zag.

'Mo, stop! Stop nou even! Ik wacht al een half uur op je. Mo!'

Met tegenzin stapte Mo van zijn fiets en wachtte tot ze hem had bereikt.

Meral keek omstandig om zich heen voor ze weer sprak.

'Jij bent ook tegen Marnix, hè? Ik denk dat er een hele-boel kinderen tegen hem zijn. Maar ik weet niet wie. En jij wel, denk ik. Je wilt het alleen maar niet verraden.'

Mo dacht na. Alles kon zijn zoals ze zeiden: Meral was uit de Dragonders gegooid en boos geworden. Jeroen had van-nacht in zijn huis naar Meral gezocht. Nu wilde Meral zich bij de getrouwen van Sint Joris aansluiten.

Maar het kon ook héél anders zijn: Jeroen had vannacht in zijn huis bewijzen gezocht dat Mo een verrader was. Toen hij ze niet had gevonden, had Meral opdracht gekre-gen om Mo's trouw aan de Draak te testen. Ze moest doen of ze tegen Marnix was. Ze moest Mo uitlokken en aan-geven.

Hoe moest hij weten wat waar was? Wat moest hij doen? Als Meral echt gezocht werd, was ze in gevaar. Maar als hij haar hielp terwijl ze een verrader was... dan viel het plan van de getrouwen van Sint Joris vannacht in het water. Dan was de bevrijding van Drakeneiland verder weg dan ooit.

Mo keek om zich heen. De Groene Heuvels lagen er verla-ten bij. Er waren geen geitenhoeders meer, geen olijvenplukkers, geen sinaasappelpersers, geen houtskoolbranders. Geen visventers, die anders om deze tijd kriskras over het eiland fietsten, geen caramelverkopers, geen bakkersknechtjes, geen pizzabezorger. Ergens in het westen, in de Kale Heuvels helemaal aan de andere kant van de Piek, oefenden de Dragonders. Meral en Mo waren hier helemaal alleen.

'Ik ben trouw aan Marnix de Eerste,' zei Mo.

Meral schudde haar hoofd.

'Jij bent Sint Joris.'

Mo keek haar verbaasd aan.

'Wendel en Moon zeggen het. Ik moest ze gistermiddag bewaken in de Kale Heuvels. Nu het cachot af is, hoeven ze geen stenen meer te sjouwen.'

Nu begreep Mo wat het ronde gebouw in wording moest voorstellen. Geen fort, maar een gevangenis.

'Ik zat aan de andere kant van de muur naar ze te luisteren,' zei Meral. 'Losbol was het komen zeggen, die hoort ook bij jullie ook al heeft hij een rood T-shirt aan. Jij bent Sint Joris, de leider van het verzet. Vannacht bevrijden jullie het eiland.'

'Ze kletsen maar wat,' zei Mo.

'Ik heb het toch niet aan Marnix verraden?' vroeg Meral.

'Vannacht kwam Jeroen anders mijn huis doorzoeken. Waarom zou hij dat doen? Natuurlijk heeft hij niets gevonden. Ik ben geen verrader.' Maar Mo begon te twijfelen. Als Meral hem had verklikt, had hij nu aan boord van een boot op weg naar Dodeneiland gezeten.

'Ze zochten mij. En Jonathan. Ze willen me in de bak gooien. Maar als jij mij verstopt waar Jonathan zit, kunnen ze me niets doen.'

Mo schudde zijn hoofd.

'Ik zou je aan kunnen geven.'

'Maar dat wil je niet,' zei Meral. 'Dat is het bewijs dat je tegen de Draak bent, of niet?'

Ze haalde iets uit haar zak.

'Hier. Vertrouw je me nu?'

Ze gaf het aan Mo. Het was zijn mooie Zwitserse zakmes.

Nog steeds wantrouwend streelde Mo even het gladde, rode oppervlak. Het was echt zijn eigen mes. Hij stopte het weg.

Toen hij opkeek, was Meral verdwenen. Er ritselde alleen nog iets tussen de struiken. Verduizend! Hij hoorde stampende voetstappen: een colonne Dragonders! Hij had het mes niet moeten aanpakken. Nu kwamen ze hem arresteren! Ze hadden vlakbij op de loer gelegen, er slechts op gewacht dat hij het mes zou aanpakken. Alleen Dragonders mochten wapens dragen. Dat had die ochtend nog met zoveel woorden in de *Tamtam* gestaan...

Tegen beter weten in stopte Mo het mes in zijn zak, klom op zijn fiets en reed als een bezetene weg, in de richting van de Diepte. Even later reed hij de Dragonders recht in de armen. Hij had de richting van waaruit het gestamp kwam verkeerd ingeschat. Die stomme heuvels ook! Maar omkeren kon nu niet meer, dat was alleen maar verdacht. Mo stopte en wachtte tot ze hem zouden omsingelen.

De Dragonders zongen een marslied op de maat van hun looppas.

MAR-nix I is ON-ze HELD!
ON-ze VORST en GE-ne-RAAL
BRENGT ons ROEM, be-ZORGT ons GELD.
De BES-te VAN ons AL-le-MAAL!

Het dreunen van hun voeten en hun stemmen klonk drei gender naarmate het dichterbij kwam.

BIK-kels IN elk PE-lo-TON

VECH-ten FEL om EER en FAAM,
VOOR ver-RA-ders GEEN par-DON.
O-ver-WIN in MAR-nix' NAAM!

Mo staarde stomverbaasd naar de rennende jongens. Ze draafden hem voorbij! Ze wierpen zelfs geen blik op hem! Het volgende couplet van hun lied kon Mo al niet eens meer verstaan. Alleen het stampen klonk nog een tijdje na. Mo stond ze verdwaasd na te kijken. Dus het was géén valstrik geweest?!

Meral verscheen om de bocht in het pad. Ze zwaaide en kwam naar hem toe rennen.

'Ze hebben me niet gezien,' hijgde ze. 'Maar ik moet nu echt zo snel mogelijk een plek hebben om me te verstoppen. Ik blijf niet nóg een nacht buiten! Er zitten overal slangen en schorpioenen! Alsjeblieft, Mo!'

Mo was nog nauwelijks van de schrik bekomen, maar hij zei: 'Spring maar achterop. Gauw! Straks komen ze nog terug!'

Gelukkig was het magazijn niet zo ver weg. Losbol stond zogenaamd op wacht, knuppel tussen zijn voeten. Stijn zat achter het loket zijn lijsten bij te werken. Verder was er geen levende ziel te bekennen.

Even later zat Meral veilig bij Jonathan in de schuilplaats achter de meelzakken.

'Pfoe!' zei Mo tegen Stijn en Losbol. 'Hoorden jullie die Dragonders voorbijkomen? Ik dacht dat ze voor mij kwamen! Maar Meral is oké. Ik zou haar alleen voorlopig nog niet ál onze plannen vertellen.'

Het cachot

Mo had het druk die middag. Stijn en Losbol hoorden Meral uit over de bewaking van de gevangenis; wat ze aan de weet kwamen, bracht Mo over aan Myrna, Wouter en Sjoerd, die belast waren met de bevrijding. Die zou precies moeten samenvallen met het moment dat de boten met de voorraden van wal staken. Tegelijk zou Mo als een bezetene de klok gaan luiden, zogenaamd om de diefstal van de boten te melden, maar in werkelijkheid om verwarring en paniek te zaaien.

De Dragonders zouden van hot naar her rennen en niet weten waar ze het zoeken moesten. Tegen de tijd dat ze begrepen wat er aan de hand was, zouden de boten met al het voedsel aan boord al buiten hun bereik zijn. En Jonathan, René en Stijn zouden op het strand van de Roversbaai de anderen oppikken om met hen naar Dodeneiland te varen. Dat was voorlopig het veiligst.

Losbol zou op Drakeneiland blijven, als zogenaamde Dragonder. Luilebal bleef ook; hij zei dat Losbol niet zonder hem kon. Koentje bleef achter omdat niemand hem verdacht, en vanwege zijn vriendschap met Niels, die bruikbaar kon blijken. En ook Mo zou niet meegaan naar Dodeneiland, omdat hij als Koerier van de Draak het nuttigst was van allemaal.

Het was voor Mo een heel heen-en-weergefiets voor hij iedereen op de hoogte had gebracht. Om minder op te vallen, had hij Koentje achterop, bovenop de posttas. Als iemand soms vond dat hij wel érg actief was vanmiddag, kon hij zeggen dat hij Koentje het vak probeerde te leren.

Marnix was op zee aan het rondscheuren met de reddingsboot, dus die zou hem niet missen.

De tweede keer dat Mo met Koentje bij Stijn en Losbol
aankwam, zaten Meral en Jonathan naast hen in de schaduw. Losbol en Jonathan speelden een geheimzinnig spel
in een houten doos met driehoekige vakjes. Meral probeerde Jonathan te kietelen, maar hij duwde haar telkens weg
zonder van het spel op te kijken.

Losbol en Stijn overlegden intussen via welke route ze de
voorraden naar de boten zouden brengen; langs het strand
of door de heuvels.

'Maar ik ga mee om Wendel en zo te bevrijden,' zei Meral.

Mo keek verstoord. Dus nu wist Meral wél alles van hun
plannen. Onvoorzichtig. Maar er was niets meer aan te
doen, dus hij hield zijn mond erover en leverde zijn boodschap af.

Op de terugweg vroeg Koentje: 'Zullen we even naar de
kansjot gaan?' Het duurde even voor Mo begreep dat hij
het cachot bedoelde, de gevangenis.

'Even?' bromde hij. 'Jij hoeft niet te trappen, broeder.'
Maar hij wilde zelf ook graag weten hoe het met Marisol en
Moon en Pierre en Wendel ging, en vooral met Mark, die hij
aardig was gaan vinden. Dus trapte hij het eiland over tot
het droge dal in de Kale Heuvels. In de diepte lag het bouw-
werk van ruwe keien, afgedekt met stevige takken en rond-
om bewaakt door Dragonders. Zelfs op het dak stond er
een. Mo dacht ook Jeroen te herkennen, wijdbeens op een
heuveltje.

Vanachter een steen stapte opeens een jongen in een
Manchester-shirt op het pad.

'Wat moet dat?' vroeg de Dragonder, die vroeger Jakko
had geheten en toen een aardige knul was geweest.

Mo wees op de posttas onder Koentjes vuile knieën.

'Post. En een bericht voor de Opper van de Dr… de Koning.'

'Wachtwoord,' zei Jakko.

Help, dacht Mo. Hoe moest hij nou weten wat het wachtwoord was?

'Schiet op,' zei Jakko. Hij pakte zijn knuppel steviger vast. 'Wachtwoord!'

'Ik eh…' hakkelde hij. Jakko's knuppel ging omhoog.

'Uilenbal' zei Koentje onverwachts vanaf de bagagedrager. Het kwam er pieperig uit.

En tot Mo's verwondering ging Jakko aan de kant.

'Maar laat ik het niet merken!' zei hij dreigend. 'Geen gebabbel met de gevangenen. En als je niet snel terug bent, schiet ik je voor je raap.'

De Dragonder haalde zijn katapult uit zijn riem. 'Zie je die vogel daar?'

Zenggg, het rubber zoemde, een steen vloog door de lucht, en een zwaluw viel als een kei uit de hemel.

'Zo doe ik dat nou ook met verraders.'

'Stel je niet aan,' zei Mo.

Zijn stem trilde niet, maar daar moest hij heel veel moeite voor doen. 'Je hebt het wel tegen de Koerier van de Koning, hè!' Hij hees zich weer op het zadel, dat te hoog stond voor hem.

Maar Koentje sprong op de grond.

'Ga jij maar, Mo, ik wacht hier wel.'

'Je hoeft niet bang te zijn, hoor Koen.'

Maar Koentje weigerde verder mee te gaan. De aanblik van het cachot maakte hem bang.

Terwijl Mo afdaalde, vroeg hij zich af hoe Koentje dat wachtwoord kon weten. Van Niels?

Mo keek om. Nou stond die Koentje doodgemoedereerd met Jakko te praten. Mo hobbelde hoofdschuddend verder het pad af. Bij het cachot stapte hij af en liep eromheen. Het leek wel alsof er geen ingang in zat…

Een roofvogel schreeuwde. Mo keek omhoog. Hij begreep niet waarom al die Dragonders opeens begonnen te rennen. Ook Jakko kwam de heuvel af denderen.

'Mo, wegwezen!' klonk vlakbij een gedempte stem – Mark? Het kwam uit een spleet in de muur. 'Ze moeten jou hebben!'

Het was al te laat. Twee potige Dragonders hadden Mo beet gegrepen en sleepten hem naar het heuveltje waarop Jeroen nog steeds stond. Jakko stond hijgend voor hem.

'Betrouwbare bron,' zei Jakko. Hij wees naar Koentje, die bovenaan de heuvel achter een rotsblok zat weggedoken. 'Een vriend van de gevangenen. Hij kwam ze een geheime boodschap brengen.' Hij grinnikte. 'Je mag dat jochie best zelf ondervragen, maar let niet op de stank. Hij heeft in zijn broek gescheten.'

'Rotzakken!' gilde Mo.

Jeroen sprong op de fiets van Mo.

'Sluit hem op!' riep hij. 'Ik ga naar de Koning!'

'Dat wordt het Honderd Meter Diepe Hol,' grijnsde Jakko. 'Minstens.'

Mo werd op het dak van het cachot gehesen. In het midden bleek een luik te zitten, waar de bewaker bovenop stond. Nu ging het open.

Zonder iets te zeggen gooiden ze Mo naar binnen. Hij bezeerde zijn knieën en schaafde zijn handen. Eerst kon hij niets zien.

'Welkom,' zei Pierres stem. 'Sint Joris, als ik me niet vergis? Het is een eer je te mogen ontvangen op de enige plek op dit eiland waar eerlijkheid nog telt.'

'Het is voor míj een eer,' zei Mo.

'Wil je eerst naar je kamer om je op te knappen of zullen

we meteen aan tafel gaan?' vroeg Mark grinnikend. 'Gegrilde kip met knoflooksaus vanavond.'

'De cola staat al koud,' kwam Wendels stem uit het schemerduister.

'Hou toch je mond, jullie,' zei Marisol. 'Dit is helemáál niet leuk.'

Verbannen

Het had de avond van De Grote Bevrijding moeten worden. In plaats daarvan werd het de avond dat Mo werd verbannen naar Dodeneiland. Marnix de Eerste bracht hem zelf weg in de reddingsboot, met Jeroen de Opper als bewaker en twee lijfwachten voor extra veiligheid. Met grote snelheid scheurden ze bij eb om het eiland heen naar het noorden. Het waaide en de boeg sloeg met grote klappen op de golven. Wolken joegen voor de maan langs, het licht was spookachtig. Schuim spatte in Mo's gezicht. Hij wou dat hij nooit geprobeerd had een held te zijn.

Vlak voor Dodeneiland maakte de boot een scherpe bocht. En net toen Mo dacht dat ze in volle vaart op de rotsen te pletter zouden slaan, rukte Marnix de motor in zijn achteruit. Kolkend woelde het water langs de boorden.

'Gooi hem eruit!' riep Marnix.

Jeroen en een andere Dragonder pakten Mo bij kraag en broekriem en smeten hem in het water. Zijn knie, die al geschaafd was, kwam op een scherpe rots. Hij voelde de huid barsten. Meteen daarna stapte hij in een zee-egel. Hij gilde het uit van de pijn. Tot zijn ontzetting had Marnix de boot al gekeerd. Even later stoof het boegwater hem om de oren: de reddingsboot spoot weg.

Mo, die op zijn ene voet niet kon staan en zich daarom drijvende probeerde te houden, merkte dat hij in de richting van het eilandje spoelde. Als hij niet uitkeek, werd hij op de rotsen gesmeten... Wanhopig probeerde hij zich vast te grijpen, maar juist toen verdween de maan natuurlijk achter een wolk en kon hij niet zien wat hij deed... Hij greep zich vast aan iets wat stevig aanvoelde – een brok koraal – maar het brak af en hij viel ruggelings terug in het water. Opnieuw probeerde hij het, maar het was moeilijk steun te vinden als je één voet niet kon gebruiken. Hij raakte buiten adem, zijn neus en oren zaten vol water en toen er weer een golf over hem heen sloeg, zijn ogen ook.

Toen werd hij vastgegrepen. Mo gilde.

'Rustig maar, ik help je alleen.'

Liam! Het was de Schout die hem aan land hees.

'Ik hoorde de boot, ik dacht dat ze me eindelijk kwamen halen. Geeft niet. Gezelschap is ook goed.'

Mo lachte, ook al liep er zout water uit alle gaten in zijn hoofd, zijn mond incluis. Gesteund door Liam strompelde hij omhoog langs de rotsige kust, tot ze in een ondiep dal kwamen waar Liam een krakkemikkig hutje had gebouwd van drijfhout. Hij pootte Mo tegen de buitenwand.

'Anders kan ik niet zien wat ik doe. Leg je voet in mijn schoot, dan peuter ik die stekels eruit.'

Het deed helse pijn, maar zodra Liam met het pincet uit Mo's zakmes alle stekels uit zijn voetzool had gehaald, was het over. Mo haalde opgelucht adem. Toen pas kon hij vragen hoe Liam kans had gezien te overleven.

'Mosselen,' zei Liam. 'Zeewier. Weet je dat dat best lekker is? Alleen bremzout. Gelukkig is er een bron. Het moeilijkste was om niet gek te worden. Ik praat al dagen tegen mezelf – toen jij kwam, zat ik middenin een ruzie.'

'Met jezelf?!' riep Mo uit.

'Een mens is niet gemaakt om alleen te zijn,' zei Liam.

'Marnix is echt gestoord,' zei Mo. 'Ze moesten hem opsluiten.'

Liam lachte.

'Dat was ook hun bedoeling toen ze hem naar Drakeneiland brachten,' zei hij. 'We hebben het aan onszelf te danken. Je kon toch meteen zien wat voor type hij was? We hadden hem nooit de kans moeten geven.'

Daar moest Mo over nadenken.

'Gaaf mes,' zei Liam. 'Zit er ook een brandglas aan?'

Mo knikte.

'Tof,' zei Liam. 'Dan eten we morgen gekóókte mosselen in plaats van rauwe.'

De volgende morgen gingen ze op strooptocht zodra de zon opging. Mo zat onder de bloedkorsten en zijn kleren waren wit uitgeslagen van het zout. Maar pijn had hij niet meer en het was best spannend om te overleven op een onbewoond eilandje waar bijna niks groeide. Liam had een paar vishaakjes verzameld die af en toe aanspoelden met nog een stukje lijn eraan. Ze knoopten de stukjes nylon- draad aan elkaar en verlengden de lijn met veters en Liams gouden kettinkje. Met Mo's mes sneden ze een hengelstok waarmee ze een tijdlang zaten te vissen in een diep stuk water tussen twee rotsen. Ze vingen niks, maar toen de eb op zijn laagst was, kwamen er genoeg mosselen bloot. Mo stak wat rafels van zijn korte broek in de fik met het brand- glaasje. Liam legde er splinters op en toen steeds grotere stukken hout. Het duurde wel een halfuur, maar toen had- den ze een prachtig kookvuurtje.

Na het eten – ontbijt, lunch en avondeten tegelijk – struinde Mo langs het piepkleine strandje. Hij raapte alles op wat aangespoeld was, gooide sommige dingen weer weg, bewaarde andere.

'Wat moet je met die troep?' vroeg Liam toen Mo zijn jut- tersbuit voor zijn voeten liet vallen.

Mo gaf geen antwoord. Hij ging aan het werk. Met een schoon stukje van zijn shirt, met houtskool, met een ondoorzichtig geschuurde groene bierfles, met een stuk

van een plastic tasje en een sliert tape van een cassette-
bandje.

'Ah!' zei Liam eindelijk. 'Flessenpost! Jij blijft toch ook
een Postiljon… Maar hoe groot denk je dat de kans is dat
iemand jouw briefje vindt? Twee procent, drie procent?'

'Honderd,' zei Mo zonder aarzelen. 'Morgenochtend
heeft Luilebal mijn briefje gevonden en een uur later weten
de getrouwen van Sint Joris waar ik zit.'

Liams mond viel open.

'Hoe kun je dat nou zeker weten!'

'Door Jonathan,' zei Mo. 'Hij heeft het me aangewezen op
zijn schipperskaart. Bij vloed loopt de stroom van hier naar
de Parelbaai. En in die Parelbaai dobbert Luilebal elke ochtend rond.'

'Verduizend!' riep Liam uit. 'Jij bent behoorlijk uitge-
kookt, kleine!'

'En morgenavond,' zei Mo, 'kunnen we post terug verwachten. Want bij eb keert de stroom om. Wat denk je, zal
ik maar schrijven dat ze het plan gewoon door moeten
laten gaan?'

Deinende lichtjes

Maar toen hij in slaap probeerde te komen in het schamele hutje van Liam, verloor Mo zijn vertrouwen in zijn postdienst. Wat als Luilebal het zwemmen een keertje oversloeg? Wat als hij de fles niet opmerkte? En erger: wat zou er gebeuren als een Dragonder zijn boodschap uit de branding viste? Zenuwachtig lag hij heen en weer te rollen, tot Liam zei: 'En nou stilliggen, anders slaap je maar buiten.' Toen dacht Mo aan slangen en schorpioenen en verroerde hij zich niet meer.

De volgende ochtend heel vroeg moest hij plassen, wat hij deed op een rots hoog boven de zee. Daarna ging hij de hengel halen. Liam snurkte nog, letterlijk. Met zijn zakmes sneed Mo de bovenkant van een plastic fles die hij de vorige dag had gevonden. Toen liep hij naar de plek waar hij een dode vogel had zien liggen. Zoals hij had gehoopt, zaten er een paar vliegen op te ontbijten. Mo zette zijn halve fles eroverheen. Het vereiste handigheid om de vliegen in de fles te krijgen zonder het vogellijkje mee te scheppen, maar het lukte hem. Hij gebruikte de andere helft van de fles, omgekeerd, als deksel. Met aas en hengel ging hij op weg.

Uitgooien, langzaam inhalen, uitgooien... Hij had natuurlijk geen molen, dus het ging allemaal nogal onhandig. Eén keer bleef de lijn haken achter een dode boomwortel. Mo kon hem niet lostrekken: hij moest zuinig zijn op Liams kettinkje en bovendien hadden ze maar één vislijn. Daarom moest hij helemaal naar de plek klauteren waar de wortel uit een spleet stak.

Intussen stond de zon al behoorlijk hoog. Liam zou nu wel wakker zijn. Maar Mo wilde niet terugkeren zonder ontbijt. De eerste vlieg was hij al verloren en de tweede zag er zielig en verzopen uit, maar hierna had hij er nog maar één.

De volgende keer dat hij uitgooide, dook er een meeuw op het aas af. Mo gaf een ruk aan zijn hengel. Tot zijn schrik werd de meeuw meegesleurd. Even later viel hij, wild fladderend, op de grond, de haak in zijn bek.

Even vroeg Mo zich af hoe gebraden meeuw zou smaken. Toen pakte hij het beest – groot, zo van dichtbij! – toch maar vast en wurmde de haak uit zijn bek. De meeuw probeerde hem te bijten. Mo liet hem van schrik los en toen pikte de meeuw nog eens, deze keer raak. Meteen daarna vloog hij luid krijsend de lucht in. Mo klom naar het water om zijn vinger te ontsmetten in zee. Er drupte bloed uit, het was een diepe snee.

Hij zocht een plek uit waar de zee kalm was. Zodra hij

zijn hand in het water hield, zwermde er opeens een hele wolk kleine visjes omheen. Ze schoten heen en weer en hapten links en rechts – hielden ze van bloed? En daaraachteraan kwamen grotere vissen, roofvissen, die de kleine visjes opvraten. Zonder na te denken deed Mo een greep.

En hield een grote vis in zijn handen! Hij smeet hem snel op de rotsen achter zich. Hoe had hij hem dat geflikt? Zomaar met zijn handen een vis gevangen? De vis was sterk, hij spartelde en sprong. Mo trok snel zijn T-shirt uit, pakte er de vis mee vast en sloeg hem met een steen op zijn kop. Daarna ontdeed hij het beest van zijn ingewanden, die hij meteen weer als aas gebruikte. En tot zijn eigen verwondering had hij een kwartier later vier flinke vissen gevangen.

Liam had het vuur al opgestookt. Hij was vol bewondering. Hij schraapte de schubben van de vissen, stak een groene tak door hun kop en roosterde ze.

'Als we nou ook nog post krijgen, Mo, dan draag ik jou voor als Drakeneilander van het jaar!'

Mo grijnsde. Het was best leuk om verbannen te zijn.

Ook al wisten ze dat het heel onwaarschijnlijk was dat er nu al een fles van Luilebal aan zou spoelen, toch zochten ze voor de zekerheid langs de kust of ze iets bijzonders zagen. Toen het water te hoog kwam door de vloed, gaven ze het op.

'Ik ga een dutje doen hoor,' zei Liam. 'Als je slaapt gaat de tijd sneller.'

Dat deed Mo toen ook maar. Hij droomde dat hij thuis was en ruzie had met zijn zusje. 'Jij woont hier niet meer,' zei ze tegen hem. 'Je bent verhuisd, weet je dat niet eens?' De rest van de droom was hij op zoek naar zijn nieuwe woonplek – hij kon zich niet herinneren waar dat was.

Het vervelende was dat het donker bleek toen het weer eb werd. Ook al was de maan bijna vol, het was moeilijk zoeken naar een fles die er misschien wel helemaal niet was. Toch konden ze niet wachten; even na middernacht zou het weer vloed worden en dan spoelden de golven weer over de rotsen heen.

Ze vonden niks. Koud, nat en teleurgesteld gingen ze naar bed.

Midden in de nacht schudde Liam Mo wakker.

'Hoor je dat?' Mo spitste zijn oren, maar hij hoorde niets. 'Ik hoor zingen!'

Mo volgde hem naar buiten. Ze klommen naar de hoge rots waar Mo altijd vanaf plaste. Toen grepen ze elkaar vast.

Over zee naderde een optocht. Een rij flakkerende, deinende, schommelende lichtjes, het gezang van vele stemmen.

Sint Joris, Sint Joris
wij komen eraan!
Sint Joris, Sint Joris
om de Draak te verslaan!

'Snel!' riep Mo. 'Haal een smeulende tak uit het vuur! We moeten ze laten zien waar ze kunnen landen.' Zelf verzamelde hij snel zoveel mogelijk aangespoeld hout, dat zilverig glansde in het maanlicht. Even later laaide er een vuur op in de kleine inham met het strandje.

Sint Joris, Sint Joris
de nacht is voorbij!
Sint Joris, Sint Joris
wij keren het tij!

96

Alle boten waren gekomen. De reddingsboot en het vlaggenschip hadden elk twee roeiboten achter zich aan gebonden. En alle boten zaten vol kinderen. Ze hadden olielampjes in hun hand en zongen tot ze aan land sprongen.

Sint Joris, Sint Joris
dit keer is het raak!
Sint Joris, Sint Joris
't is uit met de Draak!

Ze sprongen, klommen, struikelden aan land en dromden om Liam en Mo heen. Myrna viel Liam zelfs om de hals. Renée stak Mo een emmer vol oliebollen toe. En hoe heldhaftig Liam en Mo elkaar ook hadden proberen wijs te maken dat je het heel lang kon uithouden op vis en zeewier, ze propten hun mond meteen zó vol oliebol, dat ze geen antwoord meer konden geven op de vele vragen.

Zelf hadden ze er ook nogal wat. Maar er viel niet veel te vertellen, zei Wendel. Terwijl Jonathan erop toezag dat de boten netjes vast werden gelegd, deed Wendel verslag van de bevrijdingsactie.

'Het was eigenlijk nogal simpel. We zijn binnen in het cachot op elkaars schouders geklommen. Toen Myrna en Sjoerd en Wouter schreeuwend het dal in kwamen rennen, duwden wij het luik open, zodat de bewaker eraf tuimelde. Met zijn allen waren we sterker dan die vier slaperige Dragonders. We hebben ze vastgebonden en in hun eigen cachot achtergelaten.'

'Terwijl wij intussen het zware werk deden,' klaagde Losbol. Hij wees naar de boten, die nu werden uitgeladen door de kinderen die niet bij Marnix de Eerste hadden willen blijven. 'De hele avond sjouwen! Dat is toch geen werk voor een kunstenaar.' Hij trok zijn rode T-shirt over zijn hoofd.

'Maar Dragonder zijn bevalt me nog minder. Ik draag nooit meer rood!'

Er was ook houtskool aan boord van de boten. Even later gloeiden overal vuurtjes op. Renée pofte maïs. Myrna deelde bonensoep uit. Fouad roosterde worstjes.

Mo keek verbaasd naar hem. Fouad hier? En Niels... En Koentje, die hem toch verraden had...

Maar hij besloot er niets over te zeggen. De Vijfde Wet van Drakeneiland zei dat je niet gestraft kon worden voor een fout die je weer goedmaakte... En de Wetten van Drakeneiland waren weer van kracht! Ook al golden ze dan voorlopig alleen nog op Dodeneiland.

Luilebal stootte hem aan.

'Bedankt voor je brief,' zei hij. 'We wisten eerst niet wat we moesten doen – we wisten niet of ze je als gijzelaar vasthielden. Maar toen ik jouw post vond, besloten we meteen maar te komen.'

Mo glimlachte. Opeens miste hij zijn klok. Hij had zin om lang en wild heen en weer te zwaaien aan zijn klokkentouw.

Een vuurpijl

Drie dagen lang vierden de Drakeneilanders feest op Dodeneiland. Er waren veel voormalige Dragonders bij; Meral had er heel wat zo ver gekregen dat ze over waren gelopen. Nu de Schatkist leeg was, hadden ze het minder lollig gevonden om Koning Marnix te dienen. Op wacht staan was saai!

De getrouwen van Sint Joris genoten een bijzonder aanzien. Ze kregen de lekkerste hapjes, hoefden het minste te doen, werden het vaakst om raad gevraagd. Jongens als Fouad en Jakko deden alsof er nooit iets gebeurd was. Op aanraden van Liam lieten ze dat maar zo.

Koentje was schuw, bleef uit hun buurt. Maar lang kon Mo dat niet aanzien. Toen het jongetje stond te plassen vanaf de hoge rots, ging Mo naast hem staan. Gebroederlijk keken ze naar de twee glinsterende bogen die in zee klaterden.

'Ga je me slaan?' vroeg Koentje.

'Nee,' zei Mo. 'Ik hou niet van slaan.'

'Ik ook niet,' zei Koentje.

Daar moest Mo om lachen. Toen hij klaar was, drukte hij Koentje even tegen zich aan.

'Kom je weer bij mij slapen als we terug zijn op Drakeneiland?'

'Goed dan,' zei Koentje, alsof hij hem een gunst bewees. Het was toch een raar jochie...

Ze jutten zo veel mogelijk hout en hielden elke avond een feestelijk vuur brandend op de zuidkust, in de hoop dat de Koning het vanaf Drakeneiland zou zien. Ze zongen luid, trommelden nog harder, dansten uitgelaten om de vlammen.

'Al is het alleen maar om de Draak jaloers te maken,' zei Wouter, die met zijn gezette lijf de raarste sprongen maakte van allemaal.

Nu er genoeg haken en vislijnen waren, was het makkelijk om aan eten te komen. De vissers trokken er weer met hun boten en netten op uit en 's middags konden ze bergen sardientjes roosteren. 's Avonds aten ze platte broden die Renée op de hete stenen gebakken had.

'Zouden ze al honger hebben?' vroeg Mo op een avond aan Mark. Ze zaten op een rots en keken over de zee uit naar Drakeneiland.

'Reken maar,' zei Mark. 'Maar weet je wat Marnix waarschijnlijk nog het ergste vindt?'

'Dat hij geen onderdanen meer heeft om te commanderen?' vroeg Mo.

'Precies,' knikte Mark.

'Wat gaan we doen als we terug zijn?'

Wendel was de rots op geklommen en kwam bij hen zitten.

'Nieuwe verkiezingen organiseren,' zei hij. 'En ik denk dat ik me maar weer op de lijst laat zetten.'

'Ik zal op je stemmen,' zei Mark.

Mo knikte.

Op de avond van de derde dag werd de hemel plotseling groen verlicht. Sommige van de kleinere kinderen, die elke avond veel te laat naar bed gingen, gilden. In het midden van de lichtplek zeilde langzaam een felgroene punt omlaag.

'Een vuurpijl,' zei Sjoerd. 'Marnix wil laten zien dat hij de baas is.'

'Misschien proberen de Dragonders hun eigen feestje te organiseren,' zei Myrna.

Mark schudde zijn hoofd.

'Ik denk dat het een boodschap is voor ons.'

'Natuurlijk is het een boodschap,' zei Jonathan. 'Een vuurpijl is altíjd een boodschap. Het betekent altijd hetzelfde: kom gauw! Ik red het niet alleen.'

De getrouwen van Sint Joris keken elkaar aan. Toen barstten ze in juichen uit. Al gauw joelde de hele bevolking van het kleine eiland mee. Sjoerd zette hun lied in.

Sint Joris, Sint Joris
dit keer is het raak!
Sint Joris, Sint Joris
't is uit met de Draak!

De volgende middag voer Jonathan met zijn vlaggenschip bij vloed naar Drakeneiland. Aan boord was een delegatie van de getrouwen van Sint Joris: Liam, Wendel, Myrna, Wouter en Mo. Koentje had ook mee gewild, want die was niet meer bij Mo weg te slaan. Maar dat vonden de anderen niet goed.

Mo zelf had proberen te weigeren, maar dat was niet gelukt. Tot zijn eigen verbazing werd Mo als leider van het verzet beschouwd.

'Als ik maar niet met hen hoef te praten!' had hij benauwd gezegd.

Liam had hem gerustgesteld: 'Praten doet Wendel wel.'

Maar gepraat hoefde er niet veel te worden. Op de steiger bij de haven lag een grote berg rode T-shirts. Daarnaast een mand met zakmessen. Marnix stond moederziel alleen bij het havenkantoortje. De getrouwen van Sint Joris legden aan en liepen op hem af.

'Mag ik weer meedoen?' vroeg Marnix. Het klonk kinderachtig. 'Sorry. Ik dacht dat het leuk was als we een koning hadden.' Hij keek hen niet aan.

'Uilenbal!' zei Mo hartgrondig. Zijn vrienden keken hem verbaasd aan.

'Nee, maar eerlijk,' zei Marnix. Hij wees naar de rode shirts en de zakmessen. 'En iedereen kan zijn spullen terugkrijgen. Ik word wel weer gewoon Aanklager, oké?'

'Dácht het niet,' zei Wendel scherp. En Wouter brieste: 'Wat denk jij eigenlijk wel!'

'Rustig,' zei Liam. De kinderen van Dodeneiland hadden afgesproken dat ze niks zouden zeggen over de tijd van de Draak. Want als daar vechten van zou komen, moesten ze allemáál naar huis.

'Als er een klacht tegen Marnix wordt ingediend, zal de Schout die behandelen. Ik dus.'

Marnix stoof op: 'Maar als je denkt dat je ons kunt opsluiten, heb je pech. We hebben het cachot afgebroken.'

'Goed zo,' zei Liam onverstoorbaar. 'En als onze voormalige Koning slim is, dan probeert hij het zo snel mogelijk goed te maken met iedereen...'

Marnix grijnsde. Toen vroeg hij: 'Jullie hebben toch zeker wel wat te eten meegenomen?'

Het zou moeilijk voor hem worden om te veranderen...

Mo keek omhoog. Daar, verscholen tussen de Groene Heuvels, lagen de huizen van Akropolis. Daar was het plein met de bankjes voor de Parlevinkers. Daar was de eik met de grote klok, daar hoorde Pierre rond te racen met pizza's, daar hoorde je de rook te ruiken uit de oven van de bakkerij, daar hoorde Moon op een terrasje te zitten met haar rekenmachientje, daar hoorden kinderen zoals Koentje en Niels elkaar nat te spuiten en achterna te zitten...

Opeens zag hij het rijtje hoofden dat over de heuvelrand

uitkeek, half verscholen achter de struiken. Op diezelfde plek had hij zelf gelegen de dag na Toedeledokie, toen Ewout vertrok. Toen hij dacht dat hij nooit meer een vriend zou vinden.

Hij stootte Liam aan en wees met zijn hoofd. Liam zag de voormalige Dragonders ook en zwaaide.

'Kom maar naar beneden!' riep hij. 'We doen niks!'

Aarzelend kwamen ze aanzetten, de stoere knullen die zonder hun knuppels en hun katapulten toch maar gewone jongens waren. De voormalige VP was er ook bij, en de voormalige Schout. Ze wisten niet goed hoe ze kijken moesten. Kaj zag er wantrouwig uit, alsof hij zich klaar hield om weg te rennen.

'Dit zijn de afspraken,' begon Liam toen ze erbij waren komen staan. 'Eén: alle Dragonders nemen hun oude baan weer op.'

De jongens knikten braaf, zelfs Marnix.

'Twee: er komen nieuwe verkiezingen...' Pjotr keek naar de grond en haalde zijn schouders op.

'En drie,' zei Wouter, 'niemand bemoeit zich meer met de krant. Belangrijk punt.'

'Eh... ja,' zei Liam. 'En vier: alle nieuwe wetten worden ongeldig verklaard. Van de knuppels maken we een kampvuur. En jullie moeten beloven...'

Langzamerhand begonnen de aanhangers van Marnix er opgelucht uit te zien: niemand had het over straffen.

De rest van Liams woorden hoorde Mo niet meer. Hij draafde langs het pad door de heuvels omhoog. Het dorp was zo stil, het leek wel een spookdorp. Jakko's geiten drentelden over de veranda's. Maar dat zou nu gauw afgelopen zijn! Drakeneiland zou weer Drakeneiland worden.

Hij klom in zijn boom, nestelde zich op de vertrouwde tak en sloeg zijn hand om het klokkentouw.

Sint Joris, Sint Joris! jubelde de klok. Het galmde over de heuvels en de dalen van Drakeneiland, het galmde over de zee. Al zijn vrienden, Myrna en Liam en Wouter en Wendel en Jonathan beneden bij de haven, en zelfs Mark en Pierre en Renée en Luilebal op Dodeneiland zouden het horen. *Sint Joris, Sint Joris!*

Het volgende boek heet

Drenkeling op Drakeneiland

Drenkeling op Drakeneiland

Omdat hij zo ingespannen naar het strand lag te turen, schrok Jakko zich een ongeluk toen hij ineens bij zijn enkel gegrepen werd.

'Hebbes!' klonk Dana's stem.

Even kon Jakko niet antwoorden, omdat zijn adem in de war was. Hij kon zich wel omdraaien. Op haar knieën in de dennennaalden en het zand zat zijn buurmeisje. Tenminste, thuis was ze zijn buurmeisje. Hier op Drakeneiland woonden ze samen.

'Ik heb je overal gezocht, man!'

Een geit, die een eindje onder hen aan het helmgras knabbelde, mekkerde.

'Sst!' zei Jakko. Hij gebaarde naar het strand. 'Daar ligt iemand.'

De gestalte lag roerloos voorover. Het laatste zonlicht kleurde de kust oranje. De lage duinen, het strand en de zee in het noorden zagen er onwerkelijk uit. Elke pol gras had een lange, pikzwarte schaduw. En de zee leek een mozaïek van oranje en zwarte driehoekjes. Van hier kon je niet zien dat het daar beneden levensgevaarlijk was. Wat gewoon strand leek, kon drijfzand zijn, waar je in wegzakte tot je kin. Ze mochten er niet komen, het was de Verboden Kust. En nou lag daar zomaar...

'Een mán!' fluisterde Dana.

Ja, daar aan de vloedlijn, zijn voeten in het water, lag een volwassen man. En dat terwijl Drakeneiland uitsluitend werd bewoond door kinderen. Het moest door de storm komen. Eergisternacht was dat geweest. Een boot zag Jakko niet, maar er was wel allerlei rotzooi aangespoeld.

Nou ja, dat was zijn probleem niet. Jakko stond op. Hij

veegde een dennenappeltje van zijn knie, dat zich daar had vastgedrukt. Toen floot hij zachtjes het speciale fluitje om zijn geiten te lokken. Ze kwamen meteen aanhollen. Jakko liep het Donkere Bos in.

'Kom. Ik barst van de honger.'

De geiten verdrongen zich om hem heen, in de hoop iets lekkers te krijgen. Jakko haalde een handje biks uit zijn zak en liet ze onder het lopen brokjes eten.

'Maar die man dan!' riep Dana uit. 'We moeten toch... We moeten iets...'

'Laat toch', zei Jakko. 'Hij is vast dood. Straks wordt het vloed, dan spoelt hij wel weg.' Hij was niet écht zo kalm. Een lijk op het strand zou hem vast uit de slaap houden. Dana rende een paar stappen voor hem uit, zette zich toen voor hem op het paadje en keek hem met gloeiende ogen aan.

'Hij is helemaal niet dood. En dat denk jij ook niet. Anders had je niet gefluisterd.'

'Kan wel zijn.' Jakko begon weer te lopen. 'Maar hij hoort niet op Drakeneiland, en ik ben niet van plan voor hem in het drijfzand te zakken.'

Dana werd bijna omver geduwd door de kudde en holde toen mee.

'Wat ben jij toch een ontzettende aso!' zei ze.

Dat deed pijn. Dat hadden ze op school ook tegen hem gezegd. Dana wist te veel van hem, dat was het. Hij had al honderd keer tegen zichzelf gezegd dat hij een echte vriend moest zoeken. Maar dat deed hij dan toch weer niet. Dana en hij woonden al hun hele leven naast elkaar. Dana kende zijn echte vader en Jakko kende haar echte moeder. Hij was rechtsback in het team waarin zij keepte. Ze hadden allebei een even grote hekel aan juf Margot, die hen bijles gaf in de gang bij de wc's. Jakko wist dat Dana er van droomde in het

Nederlands elftal te spelen. Dana wist dat Jakko later politieman zou worden. Ze waren samen hierheen gestuurd, tegelijk en om hetzelfde vergrijp. Ze woonden in hetzelfde huisje, sliepen in één stapelbed. Ze waren gewoon beste vrienden. Dat Dana een meisje was, nou ja, dat was een soort vergissing.

'En als hij nou in het drijfzand zakt?'

'Hij zakt er nu toch ook niet in?'

'Omdat hij stil ligt. Maar als hij bijkomt, en probeert op te staan? En dán zinkt? Dan zijn wij moordenaars.'

Jakko aarzelde. Je wist nooit precies waar drijfzand was, omdat het zich verplaatste. Net als de beekjes die uit de Kale Heuvels naar zee stroomden. Na elke regenbui liep zo'n stroompje weer ergens anders. En waar het in zee uitkwam, ontstond drijfzand. Dat léé'k stevig. Maar als je erop stapte, werd het opeens vloeibaar en zakte je erin. Jonathan de Vlootvoogd had het allemaal uitgelegd. Verdrinken deed je niet, tenminste niet meteen. Maar het zand hield je voeten gevangen. Je kwam er nooit meer uit. En als er geen hulp kwam... Vroeg of laat steeg het zeewater. Dan was het afgelopen met je.

Dana en Jakko deden zo vaak dingen die niet mochten. Vooral thuis, vóór ze bij wijze van straf naar Drakeneiland moesten. Maar spelen met zijn leven deed Jakko niet. Eén keer wakker worden in het ziekenhuis, op het nippertje gered, was wel genoeg.

Maar een moordenaar was hij ook niet.

Hij hield zijn pas in.

'Oké dan', zei hij. 'Dan gaan we kijken. Alleen om te zien of hij nog leeft.'

Drenkeling op Drakeneiland
Vanaf zomer 2008 in de boekwinkel.

Lees ook:

Mark vindt zichzelf een avontuurlijke jongen. Het is toch leuk om kikkers te kweken in het bad? Maar grote mensen vinden hem een lastpak.

Moederziel alleen wordt hij op Drakeneiland gedropt.

Burdie vliegt van Australië naar haar oma in Nederland,
maar op Schiphol gaat alles mis. Twee meisjes proberen
haar via de bagageband door de douane te smokkelen... in
een tas vol vuile was.

www.rugzakavontuur.nl